Abdias Nascimento

Dados Internacionais de Catalogação na Publicação (CIP)
(Câmara Brasileira do Livro, SP, Brasil)

Almada, Sandra
Abdias Nascimento / Sandra Almada. -- São Paulo: Selo Negro, 2009. -- (Retratos do Brasil Negro / coordenada por Vera Lúcia Benedito)

Bibliografia.
ISBN 978-85-87478-35-1

1. Nascimento, Abdias 2. Políticos brasileiros - Biografia I. Benedito, Vera Lúcia. II. Título. III. Série.

09-07586 CCDD-320.092

Índice para catálogo sistemático:

1. Políticos brasileiros: Vida e obra 320.092

Abdias Nascimento

Sandra Almada

ABDIAS NASCIMENTO

Editora executiva: **Soraia Bini Cury**
Editoras assistentes: **Andressa Bezerra e Bibiana Leme**
Coordenadora da coleção: **Vera Lúcia Benedito**
Pesquisa adicional: **Flávio Carrança**
Capa, projeto gráfico e diagramação: **Gabrielly Silva/Origem Design**
Foto da capa: **Bia Parreiras**

3ª reimpressão, 2022

Selo Negro Edições
Departamento editorial
Rua Itapicuru, 613 – 7º andar
05006-000 – São Paulo – SP
Fone: (11) 3872-3322
http://www.selonegro.com.br
e-mail: selonegro@selonegro.com.br

Atendimento ao consumidor
Summus Editorial
Fone: (11) 3865-9890

Vendas por atacado
Fone: (11) 3873-8638
e-mail: vendas@summus.com.br

Impresso no Brasil

Dedico este trabalho:

a todos aqueles que comungam respeito, admiração e afeto pela excepcional figura humana de Abdias Nascimento – aquele que compartilhou comigo suas ideias, memórias, expectativas e ansiedades diante da vida, com uma por vezes comovente honestidade. E que ensinou, com sua própria existência, a todos nós, seus irmãos de raça, que aos grandes homens, às grandes almas cabe, em sua jornada, alçar sempre grandes voos, o que lhes dá eternamente não apenas um lugar na História, mas uma existência múltipla, ininterrupta, dentro de cada um de nós, nos permitindo vislumbrar o quão alto podemos – e merecemos – voar;

a Elisa Larkin Nascimento. Íntegra, combativa, intelectual de primeira linha e trabalhadora incansável, com contribuições essenciais para o avanço da luta negra no Brasil. Nossa convivência foi uma honra para mim;

ao psicanalista e meu queridíssimo "irmão" Marco Antonio Guimarães, por tudo de muito bom que representa, para mim e para tanta gente! Sensibilidade, competência e compromisso ímpares na luta pela saúde psíquico-emocional da população afro-brasileira;

ao meu querido irmão Heitor Santos Almada Filho, o Maninho, pela sua forte defesa dos mais oprimidos, em seu trabalho diário em diversas comunidades da cidade do Rio de Janeiro;

à minha adorável filha Lívia Almada, tão solidária, meiga, encantadora. Tão amiguinha!

A Lúcia Breves (in memoriam), minha querida "irmã de outras vidas".

Agradecimentos

Ao jornalista André Felipe Lima – aguerrido, solidário e afetivo filho de Ogum. De tez clara e olhos azuis, com personalidade fortemente impregnada da cultura afro-brasileira. Pela prova de profunda amizade, confiança e consideração. Estamos juntos!

À minha queridíssima e competente psicanalista Maria de Fátima Junqueira, pelo apoio incondicional, pelo afeto, pelo acolhimento, pela crença na vida, mesmo quando esta se mostra tão dura.

A Celso Athayde, por tudo!

Sumário

A esperança, o homem

Da cabeceira do rio
as águas viajantes
não desistem do
Percurso. Sonham.
[...]

O barco espera,
o sábio contemplativo
aguarda.
O homem não se curva
ao peso de qualquer lenho.
Sonha.
[...]

E que venham todas as secas
o homem esperançoso
há de vencer.
[...]

(Evaristo, 2009, p. 53)

Introdução

Aquela era a primeira de várias tardes em que, muito gentil e afetivamente, o professor Abdias Nascimento[1], sua esposa Elisa e por vezes também o filho Osiris me receberiam em casa. Eu aceitara com entusiasmo e me sentia sinceramente honrada com o convite, feito pela Selo Negro Edições, para produzir uma biografia do professor Abdias. "Vou lhe dizer uma coisa. Estou apreensivo com a possibilidade de não conseguir te ajudar a concluir essa biografia", me confessava, às vezes, o professor com a voz bastante tênue, reclamando de um cansaço enorme, em decorrência da falta de saúde. Além do pouco alcance da voz, me chamavam a atenção, sobretudo, os olhos de Abdias. Às vezes, estes expressavam, de fato, grande fadiga, com as pálpebras parecendo pesar sobremaneira sobre eles.

Eu me esforçava para não me comover mais do que o razoável, o que em algumas ocasiões era muito difícil. Até

---

1. O biografado é citado e conhecido também como Abdias do Nascimento.

porque, para quem vem acompanhando sua trajetória multifacetada, não é lá muito simples esconder uma ponta de revolta contra a ordem natural das coisas. Não era fácil para mim, por exemplo, acostumada a escutar tantas vezes a voz, o brado, de Abdias se insurgir vigoroso – no plenário, nos palanques, nos palcos, nas salas de conferência –, ver sua voz ansiar por um pouco mais de fôlego para se lançar no ar, impondo-se ao burburinho de uma conversa que reunia quase sempre nós dois, mas na hora do almoço podia, de vez em quando, incluir outras visitas.

"Orixás", pensava naquelas ocasiões específicas, "este homem valeu-se de todas as suas múltiplas potencialidades para lutar em tantas frentes, tão braviamente. E desde sempre! Deem-lhe mais vigor, mantenham suas forças", pedia eu, às vezes, em silêncio. Espirituoso, perspicaz, o professor desmontou várias vezes (mesmo sem sabê-lo) esse meu desconforto, essa minha ponta de tristeza, com tiradas ótimas e com grande espontaneidade.

Em um desses almoços, o papo se voltaria para o tema da intolerância religiosa, que vem mobilizando fiéis, sacerdotes e militantes dos cultos afro-brasileiros no Brasil da atualidade. Para responder à violência que vêm sofrendo os terreiros de umbanda e candomblé, sobretudo por membros de igrejas evangélicas, os militantes negros estão se articulando de várias maneiras: discutindo estratégias, realizando atos de repúdio. Em suma, agindo politicamente para, séculos depois, voltar a frear um processo de repressão, que (embora com outras características) data do período colonial. Portanto, o fenômeno está longe de ser contemporâneo.

A conversa seguia em torno desse tema, desembocando, em dado momento, nas representações do orixá Exu, frequente e equivocadamente identificado com o demônio, em virtude da "interpretação" feita pelo viés da cultura judaico-cristã. O assunto corria solto pela mesa, entre uma garfada e outra, entre um gole e outro de suco, vinho e uma cervejinha gelada. Até que, quando se falava dessas semelhanças forjadas entre o orixá da comunicação e o "anjo mau" da crença cristã, Abdias saiu-se com esta: "Bom, já que estamos sob o signo do demônio, sob a égide do diabo, deixe-me cometer logo uns pecados". Pediu uma cervejinha e serviu-se dos deliciosos quitutes.

No final de outro desses almoços, quando estava retirando da bolsa o meu gravador para iniciarmos nossa conversa de forma mais sistematizada, vi o professor se servir de uma taça de vinho grego. Achei curioso. Das vezes anteriores, eu o via pedir quase sempre "uma cervejinha". Naquela tarde, Abdias começaria nossa conversa com um lamento. "Já não me lembro com precisão das coisas", dizia, entre triste e decepcionado, reclamando das vezes em que os lapsos de memória atrasavam um pouco suas respostas, ou o deixavam na mão, de fato. Nos nossos encontros, essa cena se repetiria algumas vezes. Surpreendentemente, entretanto, no momento seguinte, Abdias mostrava como suas habilidades intelectuais – entre elas a de manejar o profundo conhecimento sobre as coisas da África e sua história – mantinham-se preservadas, como partes vívidas de sua identidade.

Eu estava convivendo com um homem excepcional, me certificaria, à medida que nossos encontros para a produção deste livro dele me aproximavam. Passadas tantas décadas desde a sua saída de Franca, aos 15 anos de idade, Abdias tanto realizou em favor de sua gente (no Brasil e fora dele) que chegou aos 95 anos, comemorados em 2009, sem que se encontrasse no país outro militante e intelectual negro capaz de suscitar tamanha reverência, de desfrutar de tão intenso respeito entre seus pares, que tenha protagonizado tantas ações pautadas na fidelidade aos mesmos princípios.

Com o perdão dos vários e importantes ativistas devotados a causas sociais com os quais Abdias se irmana neste país tão desigual – entendam-se por "seus pares" os militantes da causa negra, aqueles que atuam no combate ao racismo, sobretudo no Brasil, mas também nos demais países da diáspora[2]. "Enquanto houver um descendente africano nessa situação de pobreza, de miséria e de opressão", disse-me Abdias, "eu me sinto atingido, pois o racismo não é uma coisa pessoal, e sim coletiva. Essa situação, nos Estados Unidos, na África ou em qualquer parte do mundo me preocupa e me angustia da mesma forma como se fosse no Brasil."

Dramaturgo, ator, acadêmico, político, artista plástico, poeta, Abdias pertence à elite dos grandes intelectuais engajados nas lutas libertárias dos negros em âmbito mundial. Lutas que resultaram no movimento pan-africanista, cujo embrião encontrava-se na Revolta do Haiti, em 1804, estendendo-se

---

2. O sentido da palavra "diáspora" assumido aqui é o explicitado por Elisa Larkin Nascimento (2003, p. 27): o "de dispersão geográfica de um povo que, mesmo espalhado pelo mundo em novas condições sociais e históricas, mantém o elo com sua origem e sua identidade originária. No caso dos povos africanos, não se refere apenas ao processo escravista, mas também a momentos anteriores em que a dispersão se dava num contexto de soberania e liberdade".

aos embates em torno da descolonização dos povos africanos (cujas ressonâncias chegavam à militância negra brasileira, nos anos 1960 e 1970, de forma contundente).

Depois de incorporar, com seu olhar político específico e suas convicções ideológicas, a experiência brasileira ao multifacetado pensamento pan-africanista – constituído, na verdade, de várias e por vezes conflitantes vertentes –, Abdias ganhou destaque inigualável. Seu nome figura ao lado de Martin Luther King, Angela Davis, Aimé Césaire, Toussaint Louverture, entre várias outras grandes lideranças afrodescendentes que vêm marcando a história e fazendo ecoar a luta negra, em âmbito internacional, de forma eloquente. Seja no seu discurso memorialista, seja pesquisando outras fontes de consulta, não foram poucas as ocasiões nas quais a alma potencialmente revolucionária de Abdias se apresentaria como fadada a aceitar sempre novos desafios, a comprar muitas outras brigas: "Eu não vim para trazer a calmaria das almas mortas, das inteligências petrificadas, dos que não querem fazer onda à flor das águas. [...] Eu estava mesmo disposto a assumir o papel de 'boi de piranha'. Todo mundo foge desse papel, mas eu não me importo. Se eu for sacrificado em nome do meu povo, estou recompensado de tudo. Toda a minha vida é isso mesmo, é o que indica toda a minha biografia".

Seria pretensão, fantasia, inocência nossa, tentar comprimir nas páginas deste livro todas as facetas e histórias de vida de uma personalidade existencialmente tão rica como a de Abdias Nascimento. Com modéstia, assumimos que nossa intenção é apresentar ao leitor os principais momentos da longa trajetória de um intelectual que vem dedicando o tempo que lhe foi dado a combater – de modo incansável – o racismo, "a forma assumida pela opressão que mantém na miséria milhões de africanos e afrodescendentes em todo o planeta", segundo ele define. Esperamos tê-lo conseguido.

O personagem desta narrativa traz em si, antecipamos ao leitor, a alma genuína do *Homo politicus*. Trata-se, portanto, de alguém ferrenhamente ligado ao sentido primeiro da palavra "política", dado pelos estudos de etimologia. Abdias respira e dedicou sua vida às coisas da *polis*, às causas públicas, às lutas dos oprimidos. À causa negra sobretudo. Nonagenário, ainda provoca – estimula, revigora, desafia – de forma contundente, como é próprio dos intelectuais engajados, o debate sobre as questões raciais na sociedade civil organizada. Mostra saídas, exige respostas. Isso numa época em que os intelectuais vêm sendo apontados como ausentes da vida pública, acomodados nos centros de pesquisa e laboratórios das universidades.

Certa feita, enquanto conversava com o professor Abdias em sua casa, ele me disse, referindo-se à sua vida política: "Conchavei muito". O tom era quase confidencial, e um silêncio reflexivo seguiu-se àquela frase dita em voz baixa. Na semana seguinte, observando algumas fotos do ativista, pude dimensionar a envergadura daquela figura pública. O sul-africano Nelson Mandela e os brasileiros Leonel Brizola e Darcy Ribeiro foram, entre vários outros – e cada um a seu modo e em momentos diversos –, parceiros de lutas, de resistência, de utopias.

Abdias nasceu negro e pobre, no início do século passado, na provinciana cidade de Franca, no interior paulista. Ainda bem jovem, chegaria, cheio de sonhos, a uma pauliceia em plena efervescência revolucionária dos anos 1930. Lutaria na Revolução Constitucionalista de 1932, assim como viria a enfrentar, com a mesma coragem, os conflitos raciais na São Paulo daquela década.

Espirituoso, bem-humorado, irrequieto, na juventude Abdias não foi um ativista em tempo integral. Foi também o jovem boêmio das mesas de bar regadas a poesia de um Rio de Janeiro de outrora. De lá saiu para subir os Andes, na companhia de outros jovens poetas, numa fase mais aventureira. Na viagem, passaria por uma experiência – tão traumática quanto salutar – que mudaria para sempre sua vida.

Na volta a seu país, um Abdias menos "romântico" e "aventureiro" (e de novo politicamente atuante e engajado) foi mantido preso injustamente na penitenciária de Carandiru, onde cria o Teatro do Sentenciado. Ao recuperar a liberdade, o passo seguinte foi erguer um de seus projetos político-culturais mais ousados: o Teatro Experimental do Negro. A iniciativa, longe de limitar-se a levar negros aos palcos brasileiros, envolveu uma série de projetos e atividades destinados a elevar a autoestima, a escolaridade e a conscientização da população negra do país – empregadas domésticas, estivadores, uma gente humilde e desprestigiada que, pelas mãos de Abdias, passou a pisar em espaços nunca dantes adentrados.

Os poderosos e reacionários contra-atacariam. De forma que Abdias Nascimento, em 1968, foi obrigado a partir para o exílio. Uma vida acadêmica e artística intensa e bem-sucedida seria construída nos Estados Unidos, onde o intelectual afro-brasileiro passaria a conviver com líderes do movimento negro norte-americano, naqueles conturbados anos de 1970. De lá, as conferências, viagens e vários compromissos políticos o aproximariam definitivamente da África e de seus ativistas mais célebres.

Na década de 1980, o retorno a um Brasil em plena redemocratização, a criação de um centro de pesquisas voltado para os problemas da população negra e uma intensa vida política, com passagens pela Câmara e pelo Senado do país, também foram "estágios" de sua trajetória.

Traçado o roteiro desse percurso, convidamos o leitor a ingressar como nosso parceiro nessa viagem. Nosso objetivo é compartilhar uma história de vida coletivamente significativa. Mas não apenas para os "irmãos de raça" de Abdias, é bom que se frise, e sim para todos os que desejem conhecer aspectos da história de seu país, narrados por uma voz bastante singular.

Diferentemente dos relatos historiográficos que apresentam de forma grandiosa os feitos "monumentais" de homens ligados às elites do país e às coisas da oficialidade, Abdias Nascimento nos convoca à escuta atenciosa de um filho das classes mais pobres, marcado por inúmeros sofrimentos, mas também por histórias de superação e grandeza. Revela-nos aspectos da sociedade do país do ponto de vista de alguém que se embrenhou nos círculos do poder, como um quilombola: destemor, astúcia e inteligência a serviço de uma causa libertária. Um relato referencial para os que desejam tornar a sociedade brasileira mais plural, mais justa e igualitária.

1. A infância em Franca

Abdias Nascimento nasceu em 14 de março de 1914 em uma família muito pobre, na cidade de Franca, interior de São Paulo, onde costumava caminhar descalço, pisando no solo sobre o qual, não muito tempo antes, se locomovia "a escravaria". O antigo Arraial de Capim Mimoso, situado entre os rios Grande e Sapucaí Mirim, na rota de gado dirigido ao sertão de Mato Grosso, tinha o clima arejado em virtude dos mais de mil metros de altitude em que estava situado e da rica vegetação. Em 29 de agosto de 1805, ganharia o nome de Freguesia de Nossa Senhora de Franca e Rio Pardo, sendo alçado à condição de entreposto em razão dos negócios agropecuários que ali se realizavam. O nome foi uma homenagem ao governador da capitania, Antônio José da Franca e Horta. Em 1824, passaria a ser denominada Vila Franca do Imperador para, em 1839, passar a Comarca de Franca. Precisamente no dia 24 de abril de 1856, a Comarca de Franca é elevada à categoria de cidade e em 1889, por votação da Câmara Municipal, passa a ser denominada simplesmente Franca.

A cidade onde Abdias nasceu e passou a infância e a adolescência ostentava uma paisagem de muitas fazendas, com amplas extensões de terra destinadas à criação de gado, ao cultivo de café e a outras culturas. A família Ferreira do Nascimento era formada pela mãe, Georgina, conhecida como dona Josina, o pai, José, e sete filhos. As crianças estavam acostumadas a acompanhar a mãe quando ela visitava as fazendas da região para prestar serviços como doceira, cozinheira e ama-de-leite, entre outros afazeres.

Diferente do hoje próspero município de Franca, também conhecido como a "capital dos sapatos", ficou na memória do ativista uma imagem da cidade marcada, naquele início do século XX, pelos rescaldos da luta abolicionista. A avó materna, dona Ismênia, por exemplo, havia sido escrava. Assim como ela, também moravam em Franca muitos outros negros que viveram na condição de cativos. O que por lá se via naquela época, portanto, era o mesmo fenômeno ocorrido em outras regiões do estado de São Paulo e do Brasil. Levas e levas de africanos outrora escravizados perambulavam pela cidade, sem saber o que fazer exatamente com sua existência: "Nas fazendas que visitávamos, praticamente todos os negros, homens e mulheres, eram crias, filhos, netos e ex-escravos que trabalhavam em serviços domésticos. Haviam assimilado a cultura do branco. É provável que não tivessem interesse pelas suas origens, pelas culturas africanas. Eles não eram denominados escravos, mas a estrutura do regime escravocrata estava mantida ali, como se fosse imutável", pontuaria Abdias (Semog e Nascimento, A., 2006, p. 36).

Os escravizados no Brasil atravessaram um longo período, da Colônia ao Império, resistindo bravamente à invasão dos quilombos, promovendo levantes e revoltas, rebelando-se nas fazendas, planejando fugas em massa. Acompanharam, ainda, as manifestações populares contra a escravidão que marcaram as últimas décadas desse regime no Brasil. E viviam daquela forma, em Franca (espelho da existência negra, em vários outros lugares), a condição de homens livres! A justificar aquilo existia, pós-abolição, um contexto cruel, imposto pela realidade histórica, em que se erguiam barreiras então intransponíveis para a maioria esmagadora da massa negra liberta. Mas naqueles dizeres de Abdias havia algo mais pungente: a dimensão psicológica da dominação escravista sobre os negros.

O fim da escravidão havia deixado boa parte da população negra numa posição de marginalidade na sociedade brasileira. Sem emprego nas antigas fazendas, levas de ex-escravos se dirigiam às cidades, onde eram preteridos na busca de alguma ocupação remunerada. O retorno às fazendas, ou a permanência nelas, era o que ocorria em grande parte de casos, tendo como consequência o surgimento de novas formas de dominação e exploração a que ex-cativos ficariam condicionados sob aquelas circunstâncias.

Havia ainda, nesse contexto, leis cujo objetivo principal era "acabar" com a vadiagem, com a aplicação de sanções econômicas e jurídicas. Medidas coercitivas que eram aplicadas a uma massa de desempregados e subempregados que viviam, no dizer de José Murilo de Carvalho, nas "tênues fronteiras da legalidade e ilegalidade" e serviam, por conseguinte, para facilitar o pagamento de salários miseráveis por parte dos antigos senhores a seus ex-escravos (Neves e Machado, 1999, p. 387).

Os abolicionistas, por sua vez, haviam se mobilizado na luta por reformas que garantissem a sobrevivência da "escravaria", como Abdias se referia aos negros de Franca, após o fim daquele desumano regime de servidão forçada. Joaquirn Nabuco, por exemplo, sairia em defesa da criação de uma lei agrária que permitisse ao Estado se apropriar de áreas não produtivas, de forma a destiná-las aos negros, visto que "a propriedade tinha, além de direitos, deveres". Numa carta escrita a André Rebouças em 1893, Nabuco diria: "Os negros estão morrendo e pelo alcoolismo se degradando ainda mais do que quando eram escravos" (*apud* Neves e Machado, 1999, p. 387).

Nas palavras de Joaquim Nabuco, um retrato da situação miserável que boa parte da população negra vivia no país depois da escravidão. Nas de Abdias, um relato pungente desses mesmos dilemas. Era um privilégio poder "ver" através dos olhos de Abdias, que assistira àquele momento tão significativo, e tão de perto, como transcorria a existência negra naquele início de século.

Depois daquele depoimento, fazia todo sentido, para mim, a frase que escutara do professor Abdias em uma entrevista para a revista *Raça*. Os militantes negros tinham de fato desafios imensos pela frente. Só um "povo gigante" podia sobreviver a tantos desafios, lutando em tantas frentes. Era preciso, de fato, "descolonizar" – eliminar as marcas cruéis da servidão negra no período colonial – toda a sociedade do país, mas também – e sobretudo – descolonizar o próprio negro, libertando-o de seu profundo sentimento de desvalia.

É bem verdade, porém, que os negros já tentavam mobilizar-se politicamente antes e depois da abolição da escravatura. Seria ingênuo e incorreto acreditar que, por si próprios, não tivessem pensado de forma mais objetiva, mais estratégica, sobre o caminho a ser trilhado por aquela massa que seria progressivamente "atirada" à liberdade.

Em 1889, por exemplo, uma comissão de negros libertos da região do Vale do Paraíba enviaria uma carta ao jurista Rui Barbosa reivindicando que se fizesse cumprir a lei que instituíra, desde 1871 – ano da entrada em vigor da Lei do Ventre Livre –, um fundo de emancipação para os negros nascidos libertos. A legislação previa recursos do governo imperial e o cumprimento de suas obrigações por parte dos proprietários de escravos, que a partir da promulgação da lei deveriam pagar os impostos destinados à "educação dos filhos dos libertos".

A carta endereçada a Rui Barbosa era uma iniciativa política dos negros diante do total descaso e da falta de comprometimento governamental, que era acompanhada de uma atitude igualmente descomprometida dos senhores, tanto em relação àquela lei específica, quanto a outras iniciativas para criar e fazer cumprir, de fato, políticas públicas cujo objetivo fosse a reinserção daqueles que se tornavam progressivamente "homens livres" nessa sociedade.

Fora os atos de rebeldia, portanto, os negros também travavam por outras vias a luta pela liberdade. Apresentavam suas expectativas diante do futuro, tentando saídas para equacioná-lo, criando entidades como a Associação Beneficente Socorro Mútuo dos Homens de Cor. E essa era apenas uma entre as dezenas de outras dessa natureza a demandar, sobretudo entre os anos de 1860 e 1870, parecer do Conselho de Estado do Império, de forma a poder existir e alcançar objetivos como “promover tudo o que tiver a seu alcance em favor dos seus membros”. A resposta dos conselheiros assinalava um dos motivos – talvez o argumento principal entre outros apontados – que justificavam o indeferimento daquele pedido. “Os homens de cor, livres, são no Império cidadãos que não formam classe separada e, quando escravos, não têm direito de associar-se.” E por aí seguia o texto, num arrazoado demolidor da iniciativa de associação daqueles ativistas negros (Gomes, 2005, p. 7-8).

Enquanto acompanho a paisagem humana, que Abdias descreve como parte de suas memórias de infância, consolido uma certeza: sua alma fora “sensibilizada”, ainda em idade muito tenra, pelo sofrer da sua gente, pela saga de seu povo, mas também pela beleza da cultura negra. Pela altivez que ele vislumbrara, por exemplo, quando viu pela primeira vez “umas negras assim esguias, longilíneas, belíssimas!”, que viviam do outro lado da estação Mogiana, nos arredores de Franca. “Era uma comunidade misteriosa, constituída só de negros, que se mantinha a distância de todos os outros grupos daqueles arredores.”

O menino ficava fascinado quando via aquelas figuras femininas que saíam do Engenho Queimado, indo até a cidade buscar roupa para lavar. Com as trouxas de roupa elegantemente equilibradas na cabeça, o grupo se locomovia altivo, sempre todo vestido de branco, diante dos olhos de um Abdias deslumbrado. É bem verdade que naquela época ele não era capaz de fazer certos tipos de inferências, possíveis apenas àqueles que conhecem aspectos históricos específicos do tráfico negreiro – tais como as diferenças entre os fenótipos dos diversos grupos étnicos para cá transportados nos tumbeiros, bem como o fato de que a África, onde ocorreria o maior êxodo de seres humanos na condição escrava, abrigara Estados nacionais constituídos, reinos a cuja nobreza aquelas mulheres tão belas e esguias poderiam ter pertencido.

Só mais tarde, na condição de pesquisador renomado, Abdias identificaria as moradoras do Engenho Queimado como possivelmente senegalesas. Assim como as roupas brancas indicariam um provável pertencimento à cultura muçulmana, o porte exibido por elas nas ruas da Franca da sua infância seriam traço de uma provável origem "ligada a uma linhagem real". Aquelas lindas e altivas lavadeiras negras poderiam ser descendentes de estirpes nobres de algum dos reinos outrora existentes no continente africano. "Só o impacto estético que aquela cena provocava já mexia muito comigo", comentaria o intelectual.

Independentemente de não terem consciência de suas origens – como parecia ter aquele grupo mais isolado, do Engenho Queimado –, outros moradores de Franca mantinham indícios fortes de uma identidade cultural de essência negra, fruto da preservação de aspectos da cultura africana de origem, mesmo em meio ao processo de aculturação que as múltiplas etnias africanas sofreriam em nossas terras. O mesmo processo de aculturação que podia ser identificado entre os negros de Franca, conforme o intelectual avaliaria mais tarde, com olhos mais cuidadosamente atentos devido aos anos de estudos e pesquisas.

Dona Josina, por exemplo, tinha um profundo conhecimento sobre ervas e suas utilidades, provavelmente fruto do contato com as mulheres de origem africana residentes nas fazendas em que ela prestava serviços. Abdias identificaria também a forte presença da oralidade como reminiscência – ou melhor, como força do legado da cultura de matriz africana – nas noites durante as quais, ainda menino, via reproduzir-se uma cena bastante significativa. No final do dia, no galpão destinado aos empregados domésticos das fazendas que ele e seus irmãos visitavam ao lado da mãe, as mulheres negras faziam pipoca, que era colocada em bacias, em volta das quais se reuniam para contar causos: "Era uma beleza! Elas narravam histórias e fatos do tempo da escravidão. Referiam-se aos sofrimentos, às alegrias, a vários personagens, situações, vivências que para mim pareciam todas muito próximas". O filho de dona Josina escutava tudo quietinho, atento para registrar aquilo que chegaria até os dias de hoje como uma lembrança pungente, relacionada com a história dos oprimidos e contada por aqueles que viveram a condição escrava.

Mas a infância de Abdias não foi só felicidade e contemplação estética. De manhã bem cedinho, antes de começarem as aulas no grupo escolar Coronel Francisco Martins, era possível vê-lo descalço, aos 9 anos de idade, entregando leite e carne nas casas dos mais abastados da cidade. "Foi com esse dinheirinho que comprei o meu primeiro par de sapatos", recorda. Ao longo de sua vida em Franca, Abdias "se virava", trabalhando nessa e em várias outras atividades para ajudar na sobrevivência da família. É igualmente enganoso, entretanto, imaginar que foi apenas esse tipo de labuta que marcou aqueles primeiros anos de vida do menino. A esplêndida natureza com que Franca fora brindada também deixou marcas profundas na memória que Abdias guarda da infância.

Passeios pelos campos, uma fartura de frutas nos pomares, as imensas plantações de café, arroz e grandes criações de gado. A criançada – e o menino Abdias naturalmente em meio a ela, pois, apesar das agruras da pobreza e do racismo, ele aproveitou muito aqueles tempos de felicidade – andando pelas fazendas nas carroças puxadas a bode, divertindo-se sob uma chuvarada daquelas! E admirando as lindas borboletas que sobrevoavam aquele paradisíaco recanto. "Tudo isso me faz lembrar dessa fase da minha vida como algo muito bonito! Maravilhoso! Tive, apesar de lembranças muito marcantes do racismo que ali já conheceria, uma infância com muitos momentos felizes!", enfatizara.

Dona Josina decerto já antevia, a essa época, serem estreitos demais os limites de Franca para as potencialidades e a personalidade do filho. Era um menino interessado em artes, mas só conseguiu ter acesso à literatura entre 12 e 13 anos, quando começou a trabalhar em um consultório médico, onde fazia faxina e também cuidava do material utilizado pelo dr. José Ribeiro Conrado em exames médicos e pequenas intervenções cirúrgicas.

Ao lado daquele consultório, sem que o menino soubesse, se abriria, de forma "semiclandestina", no dizer do ativista, uma passagem um tanto quanto secreta para o mundo da literatura, das obras mais densas. Numa dessas "mãozinhas" que o destino costuma dar aos interessados em ultrapassar limites, um dentista amigo do dr. Conrado pediu a Abdias que cuidasse de seu consultório sempre que viajasse (e isso ocorria com frequência). Lá, Abdias "teria acesso a uma biblioteca ótima!", deixando vislumbrar o que aquilo significou para quem vivia em meio a uma precariedade financeira daquelas. Obras como *Os sertões* e *À margem da história*, ambas de Euclides da Cunha, assim como títulos assinados por Monteiro Lobato (lidos sem que percebesse as passagens com franco conteúdo racista), além de *A carne*, *O Ateneu* e *A República*, constituíam-se em leitura de fôlego destinada a adultos, que Abdias já na pré-adolescência degustava, uma após outra, leituras que realizava devorando páginas e mais páginas nos intervalos e folgas do trabalho. O dentista fazia "vista grossa" para essas imersões literárias do menino, de quem também se tornara amigo.

As revistas da época eram outro tipo de publicação que o menino Abdias gostava de ler. Nesse caso, a possibilidade de serem folheadas só se daria por meio do "escambo", da troca, entre ele e seus amiguinhos de infância. Amealhar de maneira precária uma informação aqui, outra acolá, era o jeito que ele encontrava para saciar provisoriamente sua sede de conhecimento. Tudo à base de um esforço enorme, de doses generosas de curiosidade, inteligência, vivacidade, e do desejo visceral de ultrapassar limites. Em casa, um caixote pequenino de madeira era a biblioteca onde o menino Abdias guardava, com muito cuidado, suas relíquias literárias.

Essa forma atípica com que aquela criança pobre, nascida na zona rural do interior do Estado, entrava em contato com as manifestações artístico-literárias também se reproduzia no âmbito das coisas da dramaturgia – com as quais Abdias fez contato, pela primeira vez, ainda em Franca, de maneira igualmente não sistematizada, ao sabor do acaso.

Quando o circo chegava a Franca, trazia para a população local a possibilidade de mais divertimento. Uma maravilha para a criançada: os palhaços, o picadeiro, os animais, as acrobacias! Mas os olhos do menino Abdias, diferentemente da maioria de seus amiguinhos da plateia, viam naquelas performances circenses voltadas para o entretenimento o "dado de dramaturgia", se assim podemos chamar. Abdias elucida melhor: "Sempre tinha uma segunda parte no circo em que era vivido um drama. Era isso o que mais me interessava". Como o menino por vezes não tinha dinheiro para adquirir o ingresso, "passava por baixo da lona, ou acompanhava os palhaços gritando no meio da rua: 'E o palhaço o que é? É ladrão de mulher!'" Era suficiente para conseguir um ingresso para o espetáculo, a que assistia com olhos encantados, ainda mais atentos, sobretudo na tal segunda parte.

Quando chegava o Natal, a época das festas de Reis, Abdias tinha outra oportunidade de se aproximar da dramaturgia. Era um período de cavalhadas e contradanças, das quais seu pai sempre participava. Antes, porém, da exibição pública, seu José se preparava cenicamente, compondo um personagem com uma longa barba branca e cabelos igualmente brancos e longos feitos de um vegetal denominado pita. "Aquilo para mim tinha uma significação muito grande. Era o teatro folclórico."

A família de Abdias, que era católica – o pai bastante fervoroso; dona Josina, menos ortodoxa –, não perdia um festejo religioso do porte daquela encenação que acontecia todo ano no encerramento da procissão do Encontro, em plena Semana Santa. Mais do que o lado sacrorreligioso, o que comovia o menino era a dramaticidade do encontro encenado por moradores da cidade, no qual Jesus Cristo, levando a cruz sobre os ombros, ia ter com sua mãe, Nossa Senhora. "Era realmente uma cena, um diálogo muito pungente, muito doloroso, e como sempre Nossa Senhora com seus véus roxos e panos pretos. Aquilo era uma coisa que me impressionava muito. Não só à minha visão, mas à minha emoção. Aí eu via já como o teatro trabalhava dentro de mim." Havia também o teatro de fantoches, que Abdias conheceria no grupo escolar.

À parte essas situações – circenses, religiosas e folclóricas –, o menino era alijado daquelas oportunidades de encenação teatral que aconteciam em sua escola. Os monólogos todos decorados, as poesias todas na ponta da língua, "todos os gestos, todas as danças, todas as mímicas" facilmente memorizados e podendo ser reproduzidos a qualquer momento pelo menino. Tudo isso não era suficiente para garantir um lugar a Abdias.

O jeito era o pequeno viver, em casa, aquelas cenas e personagens, convidando amigos e vizinhos para a réplica das encenações que não podia fazer na escola. Mas Abdias não identificava em sua exclusão dessas festividades uma postura racista por parte de seus professores, embora admita que o racismo fosse algo com o qual se debatesse no grupo escolar: "Pequeno, eu já me embolava com as professoras do grupo escolar por questões raciais. As professoras sempre arrumavam formas ofensivas para me chamar a atenção". A mãe, dona Josina, entrava em cena nessas situações, mostrando-se exemplarmente solidária e aguerrida na luta contra qualquer tipo de tratamento discriminatório dispensado a seus filhos, mas também a quem quer que fosse. "O episódio mais marcante envolveu minha mãe, uma vizinha e um colega do grupo escolar onde eu estudava. Era órfão, o coitadinho, vivia perambulando na rua, contando com uma ou outra pessoa para dar-lhe um prato de comida. Um dia estava sendo surrado por uma vizinha branca. A minha mãe tirou-o das mãos dessa mulher, enfrentando-a violentamente. As palavras e a atitude dela foram a minha primeira lição de solidariedade racial, a primeira lição de pan-africanismo, que recebi ainda menino."

O grupo escolar contava, contudo, com a presença do professor Otávio Bueno. Um homem alto, magro, permanentemente atento aos alunos daquela escola. Com ele, o colégio estava longe de representar apenas discriminação e confusões entre o menino travesso e alguns de seus preconceituosos professores. Abdias Nascimento recorda-se de quanto foi positiva para ele a presença daquele homem, que repetia incisivamente: "Levanta a cabeça, menino!" "Parecia que ele nos vigiava. Quando menos esperávamos, sua voz soava enérgica dizendo aquilo. Na verdade, o que o professor Otávio Bueno não queria é que tivéssemos uma postura decaída, daquele tipo de sujeito que se sente humilhado, conformado em ser humilde. O alcance e a importância daquilo para todos nós eu só entenderia muito tempo depois, com a vida. No fundo aquele era o modo dele de evitar que as crianças crescessem com aquele sentimento de que estavam oprimidas, submissas, olhando para o chão. Ele não queria isso. 'Levanta a cabeça, olha para a frente!' Aquilo era uma coisa bonita!" (Semog e Nascimento, A., 2006, p. 49).

Abdias também tentara aprender violão, piano, pistão, telegrafia, mas foram projetos de curtíssima duração, todos derrotados, apesar dos esforços do menino, pelas condições de vida muito adversas. Dessas empreitadas, entretanto, uma vingaria. Aos 11 anos entrou para a Escola de Comércio do Ateneu Francano. Nessa época, ia ao grupo escolar de manhã, trabalhava à tarde e à noite fazia o curso de contabilidade, que levaria a cabo com seriedade e no final do qual começaria a procurar um emprego mais de acordo com sua nova formação.

Depois de algumas investidas frustradas, escutaria um "sim" animador dos administradores de uma fazenda em Franca, admitindo-o num emprego em que as habilidades e os conhecimentos recém-adquiridos na área contábil seriam colocados em prática. Mas isso não duraria nem quatro dias, pois logo em seguida à aprovação no teste Abdias sentiria a reprovação de toda a família por comportar-se como um "negro orgulhoso" ao abandonar o emprego – sem nem ter assumido o cargo. O que aconteceu entre uma situação e outra?

Primeiro, o "quase contador" sairia de certa forma "quase contente" da avaliação a que fora submetido no escritório da fazenda, onde também foram estabelecidas as bases da contratação para o cargo de auxiliar de guarda-livros, cuja função era a de dar conta de toda a escrituração comercial do estabelecimento. Durante os testes realizados para medir sua capacitação profissional, o adolescente já começara a sentir por parte de seus entrevistadores certa "arrogância", uma dada "petulância", que ele "entendia, já naquela época, como procedimentos racistas e discriminatórios".

Mesmo com a fama de criador de casos e de encrenqueiro em potencial – pronto a dar provas de sua intolerância diante do racismo e da discriminação assim que estes se manifestassem –, Abdias resolveu "aguentar firme" aquele teste, que parecia estar medindo também – e sobretudo – sua curta capacidade de tolerar o intolerável. Teste terminado, o passo seguinte era a ida para a fazenda. Aí o "desrespeito" e a "discriminação" intuídos por Abdias tornaram-se explícitos. Quando o pessoal do novo trabalho, conforme fora combinado, veio pegá-lo em casa para levá-lo à fazenda, Abdias foi informado de que ia viajar acomodado na parte de trás de um caminhão cheio de ração e galinhas. Diante daquele quadro, o rapaz foi categórico: "Escutem, vocês avisem lá que eu não vou para essa porcaria de emprego".

Naquela época, como já vimos, os negros de Franca ainda não tinham obtido conquistas que os ajudassem a se distanciar – radical e definitivamente – da condição escrava. Abdias, uma das exceções em meio aos pobres da cidade, arrumaria, ainda entre os 13 e os 14 anos de idade – um segundo "bom emprego". Seria uma ocupação bem remunerada, na qual mais uma vez a especialização profissional lhe asseguraria um salário superior aos ganhos de seus familiares. Um orgulho tanto para seu José quanto para dona Josina. Entretanto, o filho do casal abriria mais uma vez mão de um salário polpudo, para o padrão dos negros de Franca, em nome de suas convicções, de seus sonhos de alçar voos mais altos. Dessa feita, a razão que deixara a família triste e preocupada é que, mesmo a contragosto de seus familiares, ele decidira morar em São Paulo.

Antes de saltarmos para a vida do adolescente naquela grande cidade, cabem ainda algumas considerações sobre o mundo que Abdias Nascimento deixaria para trás, naquele final dos anos 1920, quando a locomotiva deixou a estação de Franca com destino a São Paulo.

Tento saber mais sobre aquela cultura da "escravaria" contra a qual ele, ainda bem novinho, se insurgia, mesmo que entre aqueles ex-cativos – aquela gente negra que vivia nas fazendas onde sua mãe era chamada para trabalhar – o menino Abdias tivesse sua família, seus grandes amigos. Essa coletividade negra estava, em grande parte, ainda sob a tutela do grupo de fazendeiros da localidade, de seus filhos e herdeiros. Presos a essa estrutura, perpetuavam uma forma de vida compartilhada, sem grilhões e chibatadas, mas ainda carregada de um tipo de impregnação cultural produzida durante o período escravocrata. E reproduzida – para a infelicidade de almas como a de Abdias, entre outros rebeldes – como se pouco tivesse mudado naqueles tempos em que o povo negro já estava de fato livre, pelo menos do ponto de vista jurídico, o que era um avanço enorme.

Naquela época, e naquela ambiência, em que africanos e seus descendentes já "sabiam o seu lugar", atitudes como as de Abdias não eram regra. "Meus irmãos, ao contrário de mim, gostavam dos presentes que ganhavam das sinhazinhas", ele conta, acrescentando que no seu modo de ver, ainda menino, aquilo lhe inspirava desconfiança. "Minha irmã Ismênia também não conseguiria se adaptar e, ao que parece, foi essa a razão de ela ter se suicidado."

A fala de Abdias remete àquilo que há de peculiar na sociedade brasileira, caracterizada por uma delimitação de lugares sociais específicos realizada segundo critérios de raça, que, instaurada no período colonial, mantinha-se estruturalmente a mesma naquelas primeiras décadas do século XX. O que Abdias via com os próprios olhos era o retrato de um Brasil que desde a fase colonial vinha usando o critério racial para definir funções, ocupações, atribuições específicas e diferenciadas para negros, brancos e indígenas. Cabendo aos brancos atravessar a história ocupando o lugar de senhores de engenho, de oligarcas, de latifundiários, de elite, de cidadãos com direitos. E aos negros e índios, o papel de escravizados, inferiorizados, subalternizados, aqueles lugares que, contemporaneamente, identificamos como sendo ocupados pelas "minorias", ou grupos minoritários.

O que Abdias acompanhava na infância era a forma pungente com que, na recém-instaurada vida republicana, o pensamento colonialista, com forte presença no imaginário e na dinâmica da sociedade, mantivera os afrodescendentes, agora livres, com alma e vida de "novos escravos". O professor apontaria bem esse fenômeno ao proferir discurso-denúncia sobre o genocídio planejado dos afro-brasileiros nos anos 1990 como senador da República.

A visão mais avançada de mundo de dona Josina, comparada às pretensões de muitos dos negros locais – subjetivamente tão inferiorizados, com a alma ainda tão atrelada à condição cativa –, havia contribuído muito para que o adolescente apostasse num futuro fora das cercanias daquela cidadezinha muito aprazível, com seus campos cultivados e sua natureza exuberante. Aquele menino irrequieto – e à época já combatente – receberia o apoio da mãe em muitas situações, mas a deixaria bastante preocupada em tantas outras. Dona Josina e o restante da família tiveram dificuldade de lidar com a decisão do filho de seguir seu próprio caminho, indo para a cidade grande. "A minha mãe estimulava a gente – a mim sobretudo – a sair de Franca, um lugar muito acanhado para se trabalhar, para fazer uma carreira. O papai fazia o contracanto. 'Não, nada de estudar! O filho adotivo do doutor Petraglia acabou se suicidando porque ninguém queria se tratar com aquele médico negro. Negro que quer estudar dá nisso. Então tire isso da cabeça, de fazer estudo superior, ser doutor, tire isso da cabeça!"[3] Não precisamos nem dizer o que pesou mais na balança – ou melhor, na consciência do rapazinho – para que ele se decidisse a partir para São Paulo.

---

3. DVD "Abdias Nascimento – 90 anos – Memória viva: um afro-brasileiro no mundo".

2.

Caserna, bofetões e boemia: a vida agitada numa São Paulo racista

"Foi com uma cusparada, com uma cusparada nos meus sonhos, que São Paulo me recebeu naquele ano de 1929!" Havia muito rancor na voz de Abdias. Tratava-se de um dos pronunciamentos mais carregados de revolta. Fazia essa observação enquanto consultava os registros em DVD de fases diferentes de sua trajetória. Era preciso fazer um recuo no tempo para entender o porquê de tamanho ressentimento. Essas palavras, semanticamente, pareciam indicar uma hostilidade mútua. De Abdias para com São Paulo, mas, sobretudo, de São Paulo para com Abdias. Esta última desencadeava aquela reação tão áspera que parecia na verdade circunscrita a um momento específico dentro da vida do ativista. Mas seria isso mesmo?

Recorrer à história de São Paulo ajudaria a contextualizar os fatos da vida pessoal de Abdias Nascimento, dentro da dinâmica das relações inter-raciais da cidade naquelas décadas que abriam o século XX. O dia a dia da cidade, assim como o que acontecia em Franca no mesmo período, serviria para entender o que a experiência de migrar de uma localidade para outra transferira de tão negativo para a alma do ativista.

Eu tentava entender até que ponto o ambiente sociocultural brasileiro – caracterizado pelo cotidiano da São Paulo daquele início de século – fora desrespeitoso, agressivo (lesivo, até, sem nenhum exagero) com aquele adolescente negro. Assim como fora com os negros em geral que lá residiam, saberíamos mais tarde. "Vivi em São Paulo situações de um racismo explícito, respondido também muitas vezes por nós, negros, de forma agressiva, porque era assim que os racistas nos tratavam, fosse nas ruas, nas barbearias, nos cinemas ou nos bares", afirma Abdias.

São Paulo havia se apresentado ostensivamente dura na relação face a face com aquele rapazinho negro interiorano, de origem humilde, mantendo-se fria e insensível à alma audaciosa e arrojada daquele que com apenas 15 anos de idade adentrara seus domínios geográficos.

Pode-se imaginar uma São Paulo acenando a Abdias, que lhe retribuía os olhares, cheio de desejos e planos de "alçar voos na direção da liberdade". Uma São Paulo seduzindo-o com uma bela imagem de si mesma, como um mundo cheio de surpresas e oportunidades. Era perfeitamente compreensível, portanto, que aquela cidade dos anos 1920 se apresentasse assim, de maneira idealizada, àquele adolescente negro de certa forma tolhido por aquela Franca rural e limitada, localizada a quilômetros de distância. Idealização que se mantinha, ainda que o jovem já tivesse estado em São Paulo antes, participando de um evento cívico, e se decepcionado com a ausência de negros na Guarda Civil. "Aquilo parecia uma guarda de vikings, não tinha um negro, unzinho só. Foi uma decepção para mim!" O episódio não fora suficiente, entretanto, para lhe derrubar os sonhos – como o de ser um atleta, por exemplo. Fazer carreira naquela cidade! E se inserir em eventos daquele tipo, representando Franca, passando inclusive a preencher aquela ausência de negros naquele tipo de cerimônia. Mas São Paulo, pelo tom daquelas palavras registradas no documentário, rejeitaria violentamente todos os sonhos do jovenzinho.

Nos planos de Abdias de vir para São Paulo estava a ideia de sentar praça, ir para o Exército como voluntário. O problema é que ele tinha apenas 15 anos. A solução foi falsificar a certidão de nascimento, uma vez que para se alistar era necessário ter no mínimo 18 anos. Com a ajuda de um advogado amigo, conseguiu a passagem para São Paulo e cartas de recomendação para que se apresentasse à região militar sem risco de não ser aceito. "Entrei para o exército em 1930, com 16 anos, como voluntário. Eu me alistei em função de sair de Franca. O meu problema era ter meios para sair dos horizontes daquela terra. Não que a cidade em peso fosse uma cidade opressiva, pois eu, pelo menos individualmente, tinha muitas relações com as pessoas, com os colegas de escola; mas havia fatos de indiscutível caráter racista que me chocavam muito. E sem compreender muito bem, mas guiado por um instinto, por uma intuição, eu queria sair dali para tentar, para ver o mundo fora daquilo" (Semog e Nascimento, A., 2006, p. 67).

Chegando a São Paulo sem ter onde morar, alistou-se e foi servir no Segundo Grupo de Artilharia Pesada, no grande quartel de Quitaúna, na região oeste do que é hoje a Grande São Paulo.

Abdias viu passar a Revolução de 1930, que levou Getulio Vargas ao poder, já como soldado, mas não deu um tiro sequer. Estava ocupado carregando pesados sacos de alfafa e de milho ou dando banho nos cavalos. Quando eclodiu a Revolução Constitucionalista de 1932, ele já havia sido transferido da Artilharia Pesada para a 11ª Companhia de Infantaria. "Essa Companhia tinha uma peculiaridade, que não era das melhores: para lá eram transferidos todos aqueles soldados insubordinados, os indisciplinados, que ficavam concentrados ali por causa das dificuldades que as unidades tinham para controlá-los. E lá estava eu na 11ª Companhia de Infantaria. No meio daquele pessoal da caserna, quando falavam que o sujeito era da 'ônzima', já se sabia que estavam se referindo a um mau elemento."

O ano de 1932 viu nascer em São Paulo um grande movimento de oposição ao governo provisório de Getulio Vargas, implantado pela Revolução de 1930. Esse movimento, que passou para a história como Revolução Constitucionalista, contou com amplo apoio da população paulista, mobilizando comerciantes, industriais, fazendeiros e parte do operariado, com adesão entusiástica da classe média. A história oficial omite a participação dos negros nesse conflito, que participaram dessa mobilização fundando inclusive batalhões específicos, batizados de "Legião Negra" (Domingues, 2008, p. 96).

Nesse período chegaria uma péssima notícia. "Recebi um telegrama me chamando lá em Franca. Morrera dona Josina. E quando lá cheguei, foi uma cena de revolta. Eu vi toda aquela gente, todas aquelas pessoas nobres, aqueles que compravam doce de minha mãe, estavam lá acompanhando o enterro. Tive vontade de mandar todo o mundo para o quinto dos infernos.

O que eles estavam fazendo ali? Eles tinham ajudado a cavar a cova da minha mãe e agora estavam ali. Foi um momento meu de profunda revolta", rememora, sem esconder a tristeza. "Ela lutava muito, coitadinha!" Abdias continua a falar. "Se virava do jeito que podia!", diz, como que tentando traçar o perfil daquela que lhe fora uma figura esplêndida em vários sentidos: dona de uma personalidade aguerrida, com valores humanitários, solidária e corajosamente questionadora de posturas racistas. Um exemplo que traria dentro de si para toda a vida.

Durante a Revolução Constitucionalista, Abdias participou de combates na região de Cunha, no território de São Paulo, próximo de Paraty. No lado contrário, lutando pelo Rio de Janeiro, estava Sebastião Rodrigues Alves, que depois da rendição de São Paulo se tornaria seu grande amigo. "Eu com Rodrigues Alves não éramos flor que se cheire. Éramos dois cabos do exército, na flor da idade, prontos para a briga." Com essa frase, Abdias Nascimento começa a falar sobre o pacto de honra que ele e Sebastião Rodrigues Alves firmaram – e honrariam muitas vezes à base de socos, bofetões e safanões – enquanto estiveram juntos enfrentando a vida (e curtindo-a também, é bom que se diga) e as inúmeras manifestações de racismo naquela São Paulo dos anos 1930.

Os rapazes, apesar de engajados no Exército, viviam com relativo conforto, dividindo um quarto numa pensão em São Paulo. Nos dias e horários fora da caserna, os dois jovens boêmios aproveitavam – quando podiam – a vida na cidade. Dia daqueles, em pleno carnaval, os dois resolveram se divertir num cabaré chamado Danúbio Azul, na região central da cidade. Como acontecia com frequência, foram proibidos de dançar naquele estabelecimento por serem negros. A reação de Rodrigues Alves foi tempestuosa. Sob o olhar atônito dos outros frequentadores, ele sacou de uma arma, apontou para a orquestra e ordenou: "Toquem, que meu amigo vai dançar!" Abdias não se furtou a pegar uma dama e sair dançando pelo salão. A cena parecia de filme, mas era protagonizada por gente de carne e osso, que assim enfrentaria aquela São Paulo também bastante real no seu racismo ferrenho e intransigente.

Aquela estava longe de ser a última das encrencas em que se meteria a dupla de jovens rebeldes. Abdias, entretanto, não saíra de Franca para criar problemas para si mesmo naquela que se transformaria na maior metrópole brasileira. Por isso, além de levar a vida de militar, ainda em São Paulo ele ingressaria no curso superior, estudando economia na Escola de Comércio Álvares Penteado. Nesse mesmo período, ainda que de forma ingênua, sem a menor experiência, já demonstrava interesse pela atividade política.

> Vinha do interior, completamente ignorante, tolo, sem meios de me orientar em assuntos políticos, mas transbordante de vontade de atuar. Contudo, era muito arriscado participar dos movimentos de reivindicação negra, porque soldado era proibido de se meter em política ou qualquer atividade de cunho social. Mesmo assim, eu distribuí por certo tempo, no quartel, exemplares do *Lanterna Vermelha*, jornal comunista clandestino, e fundei um jornalzinho, *O Recruta*, que chegou a circular por alguns números. A gente fazia aquele troço sem contato com ninguém esclarecido. Estava ali de soldado, pronto para obedecer às ordens;

> até para atirar no pessoal da Aliança Nacional Libertadora[4] se por acaso os oficiais dessem ordem. Não tinha escolha. Não tinha informação. Aquela situação constituía um quebra-cabeça. (Nascimento, A., 1976, p. 29)

De uma coisa Abdias e Rodrigues Alves tinham certeza nessa busca de orientação política: eles queriam enaltecer a nação e as coisas nacionais, resistindo ao domínio das referências alheias. O Brasil ocupava, para eles, o primeiro lugar na escala de valores, e a hegemonia estrangeira lhes parecia inaceitável. Um dia, ao ouvir um discurso de Plínio Salgado em praça pública, os jovens encontraram o eco de seus próprios sentimentos. Um verdadeiro caipira do interior de São Paulo, Plínio enfatizava a defesa da cultura, da economia e do poder político e militar da nação, enfim, proclamava o imperativo da soberania brasileira. Os dois jovens aderiram logo ao movimento de Plínio Salgado, a Ação Integralista Brasileira. Mas isso não os isentou de continuar enfrentando o racismo.

A paisagem humana de São Paulo comportava frequentemente conflitos como aqueles que Abdias e Rodrigues Alves protagonizavam. Na década anterior, os jornais da imprensa negra, veículos das sociedades culturais e recreativas dos "homens de cor", denunciavam a existência de uma dinâmica racista e excludente numa cidade em que a população negra buscava associar-se nesses "grupos específicos". Era a forma de

4. Fundada em março de 1935 com apoio do Partido Comunista, a Aliança Nacional Libertadora reunia forças políticas diversas para combater o fascismo e o imperialismo.

enfrentar a discriminação que ganhava ainda maior intensidade depois que a vinda dos trabalhadores imigrantes passou a ser estimulada pelo governo republicano, que almejava substituir a mão de obra negra por empregados assalariados.

Alijados dos postos de trabalho abertos na cidade, preteridos em favor do trabalhador europeu branco, os negros eram considerados mão de obra desqualificada, com nenhuma ou baixíssima escolaridade. O quadro oficialmente instaurado na esfera das relações de trabalho criava, portanto, conflitos ostensivos e situações de humilhação e violência. E feria de morte os sonhos de integração e melhor categorização social dos afrodescendentes. Conhecer essa dinâmica ajuda a entender melhor o ambiente sociocultural que tanto revoltava Abdias e Rodrigues Alves.

Nas páginas dos jornais paulistanos da imprensa negra que circulavam nas primeiras décadas do século XX, títulos como *O Menelick* (1913), *O Alfinete* (1918), *A Liberdade* (1919), entre outros, precederiam aqueles periódicos que adentrariam a década de 1920, a exemplo de *O Kosmos* (1924), *O Elite* (1924), *O Auriverde* (1928) e *O Clarim* (1923), mais tarde intitulado *O Clarim da Alvorada,* numa lista em que poderíamos incluir vários outros títulos. Neles, a despeito de pequenas nuanças na linha editorial, uma elite de negros letrados buscava dar às comunidades negras direção, conscientização, esclarecimento sobre seu valor, assim como modelos a serem seguidos por aqueles homens e mulheres de cor.

De modo geral, os primeiros jornais da imprensa negra – com algumas exceções – adotavam um discurso integracionista, defendendo uma moral puritana. Orientavam os negros a não se envolver em bebedeiras e arruaças; atribuíam aos próprios negros a responsabilidade pelo seu desenvolvimento e destino – que podia ser alterado, sobretudo, pela via da educação. Era um contradiscurso diante daquele difundido em São Paulo e no restante do país, no qual o negro era apresentado como selvagem, indolente, preguiçoso, criminoso, entre outros estereótipos.

Em uma de nossas conversas, Abdias lembrava-se nitidamente de um trabalhador branco de origem portuguesa, de nome João Pedro, que naquele início de década, ainda em Franca, trabalhava como empregado especializado numa das fazendas da cidade. Tanto esse como outros trabalhadores brancos ficavam muito distantes dos empregados negros. Viviam na colônia, que era quase uma cidade dentro da fazenda, composta principalmente de italianos que trabalhavam nos arrozais e cafezais. "Existiam pouquíssimos negros nos campos, e naquela época eu não me dava conta do que estava acontecendo depois da escravidão. Era a substituição em massa da força de trabalho do negro pela mão de obra remunerada do trabalhador imigrante." Isso ficou mais evidente para o ativista quando foi para São Paulo.

A cidade, por outro lado, havia lhe dado a oportunidade de militar na Frente Negra Brasileira, cujo surgimento é perfeitamente explicado dentro do quadro de frustrações generalizadas daquelas primeiras gerações de descendentes de escravos.

As pessoas e as ideias já vinham de antes, mas foi nos inícios dos anos de 1930 que o movimento se instituciona-

> lizou na forma da Frente Negra Brasileira. Entre seus fundadores estavam Arlindo Veiga dos Santos[5] e José Correia Leite[6] e, como movimento de massas, foi a mais importante organização que os negros lograram após a abolição da escravatura em 1888. A Frente fazia protestos contra a discriminação racial e de cor em lugares públicos sob a perspectiva de integrar os negros na sociedade nacional. Dessa forma, a FNB combatia os hotéis, bares, barbeiros, clubes, guarda-civil, departamentos de polícia etc. que vetavam a entrada ao negro, o que lembrava muito o movimento pelos direitos civis dos negros norte-americanos. (Cavalcanti e Ramos, 1976, p. 27)

Mesmo sem cargo nem grandes responsabilidades dentro da organização, na condição de um "militante quase anônimo", Abdias ampliaria sua visão sobre as questões raciais e aprenderia um tipo de orgulho até então desconhecido. "Foi nesse princípio de militância orgânica que eu comecei a sentir e entender o orgulho coletivo, porque o orgulho individual, que também é necessário, eu já tinha, pois meu pai e minha mãe me ensinaram muito bem." Na Frente Negra, Abdias participaria de ações isoladas, ligadas à reação dos negros a atos

---

5. Arlindo José Veiga Cabral dos Santos nasceu em Itu no ano de 1902. Formado em Filosofia e Letras, era jornalista e foi o primeiro presidente da Frente Negra Brasileira.
6. José Benedito Correia Leite nasceu em São Paulo em 1900. Era jornalista e foi fundador e editor, junto com Jayme Aguiar, do jornal *O Clarim da Alvorada*. Participou da fundação da Frente Negra, tendo rompido com a organização logo depois.

discriminatórios. Tais ações aconteciam em vários lugares, como na sala de projeção na rua São Bento, no centro da cidade, cujo acesso era proibido aos negros. Mas podiam se dar também nas ruas, como na situação ocorrida na rua Direita, "quando um delegado baixou uma portaria impedindo os negros de passarem por ali" – local em que a juventude negra costumava namorar, passear, olhar as vitrines. A reação dos negros foi de indignação e revolta. Abdias integrou a comitiva que foi ao Rio de Janeiro denunciar o fato ao então presidente Getulio Vargas.

Para compreender o contexto social daquele período, é importante considerarmos a Grande Depressão de 1929 multiplicadora dos sérios problemas já vividos pelos negros no mercado de trabalho. Dilemas que se intensificariam com a escassez de empregos. Nesse quadro de grandes tensões e embates, por motivos e em períodos diversos, Abdias se envolveria em conflitos causados pelo racismo e, por conta deles, seria desligado – nada menos que três vezes – do serviço militar. Na primeira delas a situação era a seguinte: "Eu e o Rodrigues Alves havíamos sido mandados entrar pela porta dos fundos de um bar. Não aceitamos aquilo, claro. Começou uma briga com o gerente. Bofetão para lá, bofetão para cá, vinha passando o delegado da Ordem Política e Social de São Paulo. Ele veio e entrou na briga, mas não a favor da gente, não a favor da justiça e da lei. Demos uma surra no sujeito, o delegado também entrou na surra, e depois fugimos. Alguém nos denunciou e foram lá com uma força pública para nos prender, nos pegaram, viemos debaixo de porrada e ficamos na prisão apanhando durante trinta dias".

Depois do desligamento do Exército em 1936, começaria outra verdadeira *via crucis* para Rodrigues Alves e Abdias. "A pessoa que é excluída dessa maneira fica sempre na mira da polícia. E nós já estávamos fichados no Gabinete de Investigações. Era uma perseguição sem tréguas, viramos carta marcada em São Paulo." Os dois rapazes procuraram, cada um a seu modo, interromper aquele estado caótico de coisas – ao qual frequentemente se acrescentavam a fome e o desemprego. "O Rodrigues Alves resolveu ser padre franciscano e eu decidi vir para o Rio de Janeiro. Naquela ocasião, pensei comigo: 'Vou me aventurar no Rio, não vou ser frade, não!' Na verdade, bem que eu tentei, mas não me aceitaram. Os franciscanos, os dominicanos e uma série de ordens religiosas em que tentei entrar não aceitavam pretos como sacerdotes. Me aceitariam, como foi o caso de Rodrigues Alves, para ser irmão leigo, ou seja, empregado dos padres. Limpar o que o padre sujava. Isso eu não queria de jeito nenhum!"

Ao deixar São Paulo, o jovem também deixaria para trás – pelo menos provisoriamente – a vivência com o racismo tão ostensivamente explicitado, gerador de tantos conflitos, de violência física, de quebra-pau, respondidos "olho por olho, dente por dente" por aqueles dois jovens de alma insubordinada.

3.

Rio de Janeiro: escola de samba, candomblé e vida intelectual intensa

O título deste capítulo resume o que foi o Rio de Janeiro para Abdias Nascimento. Ele chegou à cidade no ano de 1936, levando na bagagem o início de militância orgânica voltada para as questões raciais em São Paulo, o engajamento político com o integralismo, experiências de discriminação e várias entradas nas prisões da cidade.

Se o destino de Rodrigues fora a vida religiosa, o de Abdias seria outro. No Rio de Janeiro, ele passaria a morar no morro da Mangueira, mais precisamente "num quartinho de fundos de uma casa que ficava pertinho da escola de samba". Um trabalho aqui, um biscate acolá, e a vida inicialmente bem difícil ia seguindo, com Abdias tentando se equilibrar no seu completo desamparo. Cansado de trabalhar como faxineiro, procurou emprego novo, até conseguir um trabalho de revisor no jornal *O Radical*, continuando no entanto a fazer biscates os mais diversos. Mas o jovem Abdias iniciara sua vida política apostando não só na luta antirracista, mas em outras frentes que lhe pareciam importantes, como a causa nacionalista. Naqueles tempos, a ameaça dos Estados Unidos à soberania brasileira pairava sorrateiramente sobre os discursos anti-imperialistas e nacionalistas. Sensibilizado por essa causa, Abdias ingressara na Ação Integralista Brasileira (AIB), organização inspirada no fascismo, de forte orientação nacionalista. Fundada em 1932 por Plínio Salgado, seus objetivos eram: a defesa da identidade nacional, o resgate do patrimônio cultural brasileiro, o princípio da autoridade, a prática cristã, o anticomunismo e o antiliberalismo. Vamos ver como Abdias justifica a adesão a essa corrente política:

> Ninguém entra para um movimento se não tiver um mínimo de identidade com as causas que são defendidas; e o movimento só se faz porque as lideranças conseguem agregar interesses, esses interesses comuns entre as pessoas. O que me levou ao integralismo foi sua posição anti-imperialista e antiburguesa. O que me interessava era a luta contra o imperialismo, contra a penetração americana. A possibilidade de estar num movimento com esse fim me empolgava e me tocava profundamente. O apelo do integralismo era bem mais amplo, principalmente quanto ao nacionalismo; havia uma preocupação marcante quanto à defesa da identidade nacional, do patrimônio cultural, das riquezas e reservas naturais, e os Estados Unidos representavam o destruidor disso tudo.
>
> Para um jovem do meu estrato social, sem nenhum apoio, ter buscado aquele engajamento nas atividades integralistas já foi um grande feito; e até me admiro, pois o

> mais comum, para um rapaz naquelas condições em que eu vivia, era ter me transformado num marginal, num arrombador ou coisa parecida. Tudo levava a isso, uma vez que eu não tinha ninguém que me orientasse, as companhias não eram das melhores, não tinha amizade de pessoas que pudessem ajudar; vivia numa situação de completo desamparo. (Semog e Nascimento, A., 2006, p. 82)

A adesão ao integralismo traria para aquele jovem pobre de origem interiorana uma experiência riquíssima. Abdias conheceria e passaria a conviver com personalidades como dom Hélder Câmara, Santiago Dantas, Roland Corbisier, Alceu Amoroso Lima e Adonias Filho, entre vários outros grandes nomes da intelectualidade do país. Outros agitadores culturais e políticos da época, como Catulo da Paixão Cearense e Tasso da Silveira, costumavam se reunir no Café Gaúcho, no centro do Rio, para muito mais do que dois dedos de prosa:

> Conversar com essas pessoas era formidável, ampliava meus horizontes. Eu encontraria ali oportunidades que nunca tivera antes. O integralismo foi para mim uma grande escola de vida. Foi ali que comecei a entender realmente de arte, literatura, economia, educação, defesa nacional, os grandes problemas nacionais e outras questões de fundamental importância na vida do país. Esse aprendizado não se refere à questão negra, mas sim ao sentido amplo de cultura geral e da experiência cívica mais abrangente. (Semog e Nascimento, A., 2006, p. 82)

O integralismo de Plínio Salgado que Abdias e Rodrigues Alves conheceram em São Paulo era um movimento nacionalista brasileiro e não deixou de criar laços e intercâmbios com movimentos nacionalistas que surgiam na Europa da época. Hoje é comum e aparentemente simples identificar o integralismo com o fascismo europeu e todo o nefasto racismo que este envolvia. Entretanto, a questão é mais complexa. Fazer equivaler o nacionalismo num país colonizado, subdesenvolvido ou dependente àquele de países há séculos detentores do poder colonial e da hegemonia mundial, por exemplo, constitui no mínimo um equívoco. De todo modo, o integralismo estava inserto num contexto mundial de onde vinham influências refletidas no seu interior na forma de correntes ideológicas, sobretudo aquela ligada a Gustavo Barroso, com seu discurso antissemita. Para Abdias, "Plínio Salgado era um homem simples, humano, de uma sensibilidade e delicadeza extraordinárias. Seu amor pelo Brasil, sua inteligência e seu compromisso com o povo brasileiro eram inconfundíveis. À medida que o movimento cresceu, outras personalidades com outras motivações tentaram conduzir o integralismo em direções diversas".

Todavia, a decepção viria na sequência de toda aquela riqueza intelectual, de todo aquele entusiasmo: "O meu problema era o racismo de alguns integralistas contra os negros, que era a minha bandeira principal". O que teria acontecido com o jovem engajado na condição de quadro político do integralismo? Ocasionalmente – a princípio para sorte do ativista –, nessa época a AIB fundou um grande jornal, do qual Abdias passaria a ser colaborador. Ele já havia passado pela imprensa carioca, na função de revisor do jornal *O Radical*. No periódico da AIB, ele conviveria com o racismo do secretário de redação, que nunca colocava suas fotos nas matérias ao lado dos entrevistados, entre outros indícios de discriminação. "Não havia uma orientação deliberada nesse sentido, mas existia, dentro do integralismo, um segmento sistematicamente racista contra os negros." Abdias, evidentemente, retirou-se da AIB em 1937, como era de esperar. Algum tempo depois, durante a Convenção Política do Negro Brasileiro, que presidiu em São Paulo, no ano de 1945, ele faria uma declaração pública de repúdio ao integralismo:

> Em relação ao integralismo, posso afirmar que ele não oferece nenhuma oportunidade para o negro e o povo realizarem suas aspirações. Não digo isso por causa das acusações que lhe sacam, ridículas umas, pueris outras, como aquele de que o integralismo recebia dinheiro da Alemanha. Possuo esta convicção porque o integralismo tem uma cúpula doutrinária que esmaga qualquer movimento genuinamente popular, pois todo o seu edifício está assentado numa ordem convencional, burguesa e capitalista e, sobretudo, numa ordem integral, portanto totalitária, que impede as reivindicações específicas. Só por transitória tática política ele se acerca dos oprimidos que têm fome de pão, de liberdade e de justiça social.
>
> A atmosfera e a ordem doutrinária do integralismo são contrárias aos ímpetos das massas exploradas e sofredoras. Para atingir esta firme conclusão, paguei no cárcere, por diversas vezes, pelo crime de ter sinceridade e coragem na defesa dos ideais que eu então professava. Mas, se na-

> quela época minha idade era pouca, minha experiência política era nenhuma. Tudo para mim se resumia nos ardores entusiásticos dos 18 anos. Somente o estudo, o sofrimento, a meditação e o tempo puderam esclarecer muita coisa em minha consciência. Meu completo e absoluto rompimento com o integralismo foi um processo natural, operado em minha inteligência sem nenhum temor, sem nenhuma vacilação, sem nenhuma pressão.
>
> Ainda acredito que o integralismo, nos seus primeiros tempos, tenha desempenhado um papel muito salutar no encaminhamento de uma juventude brasileira para o estudo das questões políticas e sociais, porém considero sua época definitivamente encerrada. O esforço para sua sobrevivência, hoje, só pode ser explicado como fruto da estreiteza mental de alguns, fanatismo de outros, e finalmente a maioria, formada de pessoas que, não encontrando ambiente nas fileiras de outros partidos, procuram garantia física e espiritual nessa impossível e ingratíssima tentativa de ressuscitar ideias mortas. (Semog e Nascimento, A., 2006, p. 83)

Havia, entretanto, na década de 1930, muitos outros "apelos" que suscitariam o interesse de Abdias por uma cidade que fervilhava no que diz respeito às manifestações de arte e cultura – expressas tanto por aquela intelectualidade na qual Abdias vinha encontrando alguns de seus pares, quanto pelas classes populares, com suas manifestações tão ricas e criativas! O samba e o candomblé passaram a formar o arcabouço da cultura negra – que, dali em diante, seria pensada por Abdias com mais profundidade, a partir da experiência no morro da Mangueira e também dentro de terreiros de candomblé.

Ainda em 1937, o rapaz foi morar em Duque de Caxias, na Baixada Fluminense. Lá passou a frequentar a comunidade-terreiro do babalorixá Joãozinho da Goméia. "No Rio de Janeiro, os negros tinham uma relação mais estreita com a sua cultura, através dos terreiros, dos candomblés, diferentemente de São Paulo. E isso foi uma nova educação para mim. Comecei a compreender as nossas tradições culturais, a me interessar por essa misteriosa relação do negro com a religiosidade. E, ao frequentar regularmente os terreiros, passaria a conviver com outro tipo de intelectual, como o poeta Solano Trindade."

Solano, que se transformaria num grande amigo, era ligado ao Partido Comunista, o que provocava uma série de discussões com o ex-integralista Abdias. Outros amigos eram o compositor e maestro Abigail Moura, regente da Orquestra Afro-Brasileira, e o próprio Joãozinho da Goméia. "Essas amizades me impediram de me transformar num intelectual esquecido de suas origens", comenta Abdias. O dar-se conta da existência de uma "filosofia da cultura negra" e as experiências que permitiam a Abdias estar em contato direto com ela, buscando compreendê-la com seus novos amigos e comparsas intelectuais, aconteceriam paralelamente à formação acadêmica em Economia na então Universidade do Brasil. Somava-se a isso a atuação política que continuava a mobilizar as energias do jovem. Nesse período, Abdias retorna ao Exército na condição de estudante de curso superior e ingressa na Escola de Formação de Oficiais da Reserva, atual CPOR, optando pela carreira de oficial de cavalaria. Estava começando o curso quando foi instaurada a ditadura do Estado Novo, de Getulio Vargas. Junto com outros ativistas, alguns ex-integralistas, Abdias iria parar na cadeia depois de distribuir panfletos contra a presença das frotas norte-americanas que estavam estacionadas na Baía da Guanabara, em frente ao porto do Rio de Janeiro, para atender a objetivos estratégicos dos Estados Unidos com o apoio da ditadura. Ao se insurgirem contra aquilo, os estudantes, Abdias entre eles, "esbarrariam" com o chefe de polícia de Getulio, "o temido carrasco Filinto Müller". O final da história?

Seis meses de prisão passados na penitenciária Frei Caneca junto com uma população carcerária altamente politizada ("lá estava toda a turma do Partido Comunista", além de integralistas e ex-integralistas) que fazia muito barulho e seminários permanentes. Nessa penitenciária também estava encarcerado o líder Luís Carlos Prestes, mas na condição de preso incomunicável. "Nem preciso dizer que fui expulso do Exército pela segunda vez. Mas, solidariamente, meus amigos da faculdade de Economia insistiram com a direção da escola e eu consegui me formar economista em 1938."

Ainda naquele ano, Abdias retornaria a São Paulo, com destino à cidade de Campinas. Com "seu racismo e o separatismo já tradicionais", a cidade havia sido escolhida por ele e alguns amigos, entre eles Aguinaldo de Oliveira Camargo e Geraldo Campos de Oliveira (ambos futuros quadros do Teatro Experimental do Negro), para sediar o Congresso Afro-campineiro, uma reunião singular e inédita por eles idealizada. "Realizamos o Congresso com o apoio e a colaboração das alunas da Escola Normal de Campinas e ele aconteceu no Instituto de Ciências e Letras, uma instituição prestigiada e de elite. Mas que era evidentemente racista. Foi um belo evento, muito movimentado", conta Abdias.

> Nós discutimos vários aspectos da população negra, mas, sobretudo, as questões que diziam respeito às desigualdades e à pobreza. Esse congresso foi marcante na minha vida. Primeiro, como capacidade de organização, e, segundo, por poder descobrir que com competência era possível fazer alianças com forças que não eram nossas, mas que estavam sensíveis à nossa causa, como foi o caso da Escola Normal e do Instituto de Ciências e Letras. (Semog e Nascimento, A., 2006, p. 91)

A despeito do êxito do congresso, a vida particular de Abdias continuava tumultuada. Ainda desempregado, foi acolhido na casa de amigos, tendo a chance de passar um período da vida mergulhado na beleza da obra do poeta simbolista Cruz e Sousa. Pode-se imaginar até que ponto essa fase foi fértil, bem de acordo com as características da alma de Abdias, mas a "vida material" chamaria o economista às falas: "Não era possível eu ficar por lá toda a vida, naquela moleza, e resolvi voltar para o Rio de Janeiro. Nesse meu retorno, acabei por reencontrar um amigo do tempo de integralismo, que era neto de duas grandes personalidades brasileiras, Batista Pereira e Rui Barbosa. O nome desse amigo era Rui Barbosa Pereira. Quando reencontrei o Rui, ele tinha se casado com a filha de um banqueiro cujo nome me escapa agora, mas que tinha acabado de fundar o Banco Mercantil de São Paulo. Nas conversas que tínhamos, falei das dificuldades para arranjar emprego, e que já há algum tempo eu não conseguia arrumar nada. O Rui resolveu levar a questão ao pessoal do banco e me deram um emprego, primeiro como subcontador, sem nenhuma experiência ou prática profissional naquele serviço. Isso aconteceu em 1939".

Ainda como subcontador Abdias foi indicado para ajudar na implantação de agências em outras cidades paulistas. Ele daria conta magistralmente dos novos afazeres, mas depois de algum tempo acabou se demitindo e fazendo as malas de volta para o Rio de Janeiro. "Eu ia para essas viagens, mas deixava aqui no Rio de Janeiro uma moça muito agradável. Mantínhamos uma relação, e sempre que eu aparecia... Mas, quando não, ela tinha lá as histórias dela. Numa dessas vindas, resolvi levá-la para morar comigo pelo interior paulista. Então o pessoal do banco começou a fazer perguntas, querendo saber qual era a daquela relação, se éramos casados de papel passado ou se era coisa de concubinato, de amasiados. Eu tentava escapar daquela pressão, mas eles eram muito moralistas e foram me apertando, fechando o cerco, até que demonstraram estar bastante chateados comigo por causa daquela situação. Mas sabe como eu sou, não sabe? Pois bem, antes que eles me dispensassem, escrevi uma carta, bem malcriada, pedindo demissão, e larguei o banco, larguei tudo e vim embora para o Rio de Janeiro outra vez." Esse retorno inauguraria um período atípico na sua trajetória.

4. Santa Hermandad Orquídea e as viagens na direção dos sonhos

Capital da nação, centro político do país, o Rio de Janeiro já havia se apresentado a Abdias no esplendor de sua efervescência cultural e política. Durante sua primeira estadia na cidade, ele adentrara no âmago da "alma negra". Ou, se preferirmos, no núcleo mais denso e rico da cultura popular brasileira, ladeado por conversas com os integrantes da Estação Primeira de Mangueira e pelo contato com os ogãs e ekédes (cargos litúrgicos) do candomblé em Caxias, entre outras situações vividas naquela cidade. Abdias, entretanto, viajaria do Rio para fora do país por caminhos outros, sem levar na bagagem nenhuma pretensão política. Não estavam nos planos do rapaz, naquela fase da vida, nem a defesa de interesses nacionalistas, nem preocupações com ameaças imperialistas, tampouco as sérias questões dos afrodescendentes tão debatidas em Campinas.

Em 1940, os poetas argentinos Juan Raul Young, Efrain Tomás Bó e Godofredo Tito Iommi, todos recém-chegados à cidade, ao lado dos poetas brasileiros Napoleão Lopes Filho e Gerardo Mello Mourão (o primeiro também crítico de arte), seriam os fiéis companheiros de Abdias numa interessantíssima "confraria", que eles chamaram de Santa Hermandad Orquídea. "Nós não queríamos fazer nada, apenas poesia", rememora, começando a narrar a rica aventura na qual aqueles jovens artistas – talentosos, cultos e boêmios – se lançaram. Daí a alusão à orquídea, planta que atinge seu objetivo de vida, alcançar a beleza, mediante o parasitismo. "Nós morávamos na rua Santo Amaro, no bairro da Glória, na casa da dona Zaida, uma espanhola que alugava quartos tipo pensão e era muito bacana com a gente. Não só por compreender aquela quase confusão em que vivíamos, mas também por tolerar os frequentes atrasos no aluguel" (Semog e Nascimento, A., 2006, p. 100).

Leia-se confusão como mistura de arroubos juvenis com vida notívaga, porres homéricos, discussões apaixonadas sobre arte e cultura, escassez de dinheiro e muita, muita poesia. Os rapazes da Hermandad tinham grande admiração pelos poetas surrealistas. Uma sintonia com "aquela coisa de desprezar a lógica, renegar a ordem social e moral", como definira Abdias. Isso traduzido no cotidiano renderia histórias inusitadas. Logo no início da criação da Santa Hermandad Orquídea, decidiram fazer uma viagem para "expandir e divulgar nossos saberes e buscar novos conhecimentos pelo mundo afora". Para escolher o destino – assim como para levantar os recursos – para aquele empreendimento literário-cultural ambicioso, empregaram métodos que nos parecem deveras surrealistas.

"Nós pegamos um mapa e uma moeda, abrimos o mundo sobre a mesa e, imbuídos de uma grande certeza científica, jogamos a moeda para o alto, de forma que caísse em qualquer lugar, menos na Europa, que estava em plena guerra." O destino? Traçado pelos deuses, ou por uma mera questão gravitacional, não sabemos, seria o Amazonas. E depois, num itinerário de sucessivas viagens, com intervalos variados, entre algumas dessas paragens, a Santa Hermandad Orquídea viajaria também para Iquitos, no Peru, com uma parada em Letícia, na Colômbia. Subiria ainda a Cordilheira dos Andes com destino a Lima; em seguida, viajaria para La Paz, na Bolívia, e, enfim, aportaria em Buenos Aires, na Argentina.

A saída do Rio de Janeiro foi um episódio à parte. Os companheiros e jovens poetas da Hermandad, que não tinham um tostão furado, conseguiram com o pai de um amigo de Abdias passagens dadas "com a maior boa vontade" para Belém do Pará – cidade para onde partiriam rumo ao destino "oficialmente" decidido daquela maneira quase "científica" numa mesa de bar. "Com as passagens garantidas, nós resolvemos fazer uma despedida do Rio de Janeiro. A Lapa estava no auge. Foi uma bebedeira, foi uma esbórnia completa da Hermandad. Eu próprio me perdi do grupo e dormi por algum buraco na Lapa, e nenhum dos meus amigos conseguiu me encontrar."

A embriaguez, aliás, havia feito "tombar" a Hermandad inteira, embora Godofredo, Napoleão, Efrain e Raul tenham tido mais sorte e conseguido se recuperar do porre a tempo. Estavam lá a postos na hora e no local do embarque. "Gerardo Mello Mourão continuaria no Rio como nossa referência e ponto de contato. E eu embarquei no próximo barco, na semana seguinte, para me encontrar com o pessoal em Belém do Pará", conta Abdias.

Conferências sobre os mais diversos temas, palestras, entrevistas, artigos publicados em jornais. Aqueles jovens – como jornalistas, escritores, estudiosos – fizeram um sucesso danado por onde passaram, utilizando essas diversas atividades como moeda de troca, de modo que o brilhantismo individual e a bagagem intelectual assegurassem hospedagem, translado e, obviamente, o necessário para alimentar aquelas almas românticas, intelectualizadas, curiosas e... notívagas.

As aventuras foram muitas, com alguns sustos, inclusive. Poderíamos nos estender por parágrafos e mais parágrafos para dar conta delas, mas vamos fazer um recorte no depoimento de nosso biografado, de modo que a experiência que Abdias teve na capital do Peru seja o foco da narrativa.

Pois bem, segundo Abdias, foi em Lima que ele deu início à grande virada na sua vida, "o grande salto qualitativo de minha existência". A peça *O imperador Jones*, que Abdias encenaria no Teatro Municipal em 1945, na volta ao Brasil, fora vista por ele pela primeira vez no Teatro Municipal daquela cidade peruana. Tratava-se do texto escrito pelo dramaturgo norte-americano Eugene O'Neill, em 1920. Um ex-cabineiro de trem, um negro de nome Brutus Jones, é o personagem central de um enredo ambientado no Haiti. No palco, protagonizando a peça, estava o ator argentino, Hugo D'Eviéri, "evidentemente branco e que se pintava todo de preto para viver o personagem".

Aquelas cenas teriam um impacto enorme sobre Abdias, que ficaria "pensativo", "abismado", "sob forte emoção". "Está aí por que eu nunca pude atuar em teatro (no grupo escolar em Franca, sobretudo)! Por que eu nunca vi ator negro! Por que eu nunca vi uma peça só para negros! Nunca vi a cultura negra representada no palco: é porque os brancos não deixam!"

Com Raul Young, Abdias seguiu de Lima para Buenos Aires, via Bolívia, e na capital argentina conheceu e participou durante quase um ano do Teatro del Pueblo, onde recebeu lições importantíssimas de dramaturgia. Aquele espaço cultural havia sido criado em 1930 pelo jornalista Leônidas Barletta e permaneceria em atividade até 1976, funcionando no período em que Abdias o frequentava como "uma espécie de escola livre de teatro". Depois dos espetáculos, todas as peças eram discutidas. Texto, interpretação, direção, cenário, vestuário, era possível preencher ali as lacunas de informação para que Abdias viesse a se transformar em um verdadeiro dramaturgo, muito pouco tempo depois de terminar a viagem com a Santa Hermandad Orquídea. Na verdade, aqueles voos dados com os companheiros da Hermandad tiveram em Buenos Aires uma parada importante para que Abdias reorganizasse sua vida militante, temporariamente posta de lado.

De volta ao Brasil, em 1943, ele teria de novo problemas com o Exército, por conta de um processo disciplinar instaurado pelos militares devido à briga na porta de um bar em São Paulo no ano de 1936, quando Abdias e Rodrigues Alves bateram em um delegado. Esse processo correra à revelia durante o tempo em que ele viajava pela América do Sul com a Hermandad. Em decorrência disso, Abdias passaria cerca de um ano na penitenciária do Carandiru, em São Paulo, situação que ele transformaria, como é de seu feitio, em mais um arrojado projeto político-libertário.

Naquele universo confinado, era possível ver o intelectual negro ensaiando e dirigindo peças escritas pelos próprios presos, estimulados a transformar ociosidade, violência e infelicidades múltiplas em encenações dramáticas. Nascia o Teatro do Sentenciado. "Nós construíamos o palco, fazíamos o vestuário, os presos escreviam as peças e eu dirigia. E ficava ali sozinho com aqueles prisioneiros perigosos durante o ensaio. Mas depois tanto os guardas quanto os diretores assistiam às peças!"

A experiência terminou quando Abdias foi libertado, "depois de ter provocado um conflito de jurisprudência no Supremo Tribunal Federal, que mandou me tirar da cadeia, isentando-me de qualquer culpa". Livre da prisão, os novos rumos do ativista já haviam sido traçados. Ao menos os passos mais imediatos, que seriam dados na direção que ele vislumbrara, ainda sob o impacto do rosto brochado de preto daquele ator branco argentino que dera vida ao imperador Jones no Teatro Municipal de Lima. Aos 30 anos de idade, no Rio de Janeiro, o ator e dramaturgo fundaria o Teatro Experimental do Negro (TEN).

5. Teatro Experimental do Negro – O negro na cena brasileira

Na penitenciária, além do ativismo cultural (impregnado do humanismo que bem caracteriza a feição intelectual de nosso personagem), Abdias dedicou-se também – e tão intensamente – à leitura. A experiência teatral no Peru havia lhe marcado a alma. A permanência na prisão, por sua vez, lhe dera tempo para reflexão e amadurecimento. Em liberdade, intelectualmente ainda mais apetrechado, entendendo de forma mais clara as razões para a ausência de negros nos palcos brasileiros, Abdias seguiu para São Paulo e procurou apoio de Mário de Andrade para seu novo e ambicioso projeto. Mas foi no Rio de Janeiro que encontrou os parceiros que o ajudariam a transformar seus planos em realidade.

A criação efetiva do Teatro Experimental do Negro foi fruto, portanto, da adesão voluntariosa de várias pessoas, entre elas o advogado Aguinaldo de Oliveira Camargo (que havia participado também da organização do Congresso Afro-Campineiro de 1938), o então estudante de Direito Ironides Rodrigues, o pintor Wilson Tibério, o funcionário público Teodorico dos Santos e o contador José Herbel. A estes se uniram, logo depois, Sebastião Rodrigues Alves, Arinda Serafim, Ilena Teixeira, Marina Gonçalves, Claudiano Filho, Oscar Araújo, José da Silva, Antonio Barbosa, Natalino Dionísio e, mais tarde, Ruth de Souza, entre vários outros.

> Aquilo a que o professor Abdias Nascimento se propunha não era encenar autos natalinos iguais aos que os negros promoviam no século XVI [...] Não era encenar peças folclóricas como congadas, taieiras ou o bumba-meu-boi [...] Não se tratava de dar continuidade a uma tradição teatral vigente nos séculos XVIII e XIX, quando havia no país muitas companhias com um elenco formado predominantemente por negros e mulatos, escravos ou libertos, que representavam personagens brancas com o rosto e as mãos pintados [...] Também não se tratava de seguir a dramaturgia do início do século XX, quando o teatro brasileiro se revigorava não só como espetáculo, mas, sobretudo, como fonte de renda e expressão cultural da elite, e o negro saiu de cena, dando lugar ao branco e ficando com um espaço secundário, como negrinho exótico e cômico, de fala estridente, animalesco, naquela antiestética preconceituosa e alienante. (Semog e Nascimento, A., 2006, p. 130)

O Teatro Experimental do Negro (TEN) seria fundado, enfim, em 13 de outubro de 1944. Daí por diante, marcaria a vida cultural e política não só dos afro-brasileiros como dos que integravam ou estavam atentos à cena cultural do país nas décadas de 1940 e 1950. Mais que encenação de peças, uma quantidade surpreendente de realizações políticas, científicas, educacionais e culturais foi desenvolvida com o esforço do pessoal do TEN.

> Um teatro negro do Brasil teria de partir do conhecimento prévio da realidade histórica, na qual exerceria sua influência e cumpriria sua missão revolucionária. Engajado a esses propósitos foi que surgiu o TEN, que fundamentalmente propunha-se a resgatar, no Brasil, os valores da cultura negro-africana degradados e negados pela violência da cultura branco-europeia; propunha-se a valorização social do negro através da educação, da cultura e da arte. Teríamos que agir urgentemente em duas frentes: promover, de um lado, a denúncia dos equívocos e da alienação dos estudos sobre o afro-brasileiro; de outro, fazer com que o próprio negro tomasse consciência da situação objetiva em que se achava inserido. (Nascimento, A., 1968a, p. 198)

Nascido com esses objetivos, o TEN teve como primeira experiência de palco a colaboração com o Teatro do Estudante, na montagem da peça *Palmares*. "Para sua estreia, entretanto, precisaria de uma peça adequada, que refletisse a situação do negro após a abolição do cativeiro, que não foi possível encontrar, pois havia pelo menos uns cinquenta anos que a dramaturgia brasileira deixara de se interessar seriamente por personagens negras" (Mendes, 1993, p. 49).

O texto escolhido para estreia foi, de alguma forma, um acerto de contas de Abdias com o espetáculo que desencadeara seu ingresso no mundo do teatro: *O imperador Jones*, de O'Neill, traduzido por Ricardo Werneck Aguiar.

> Nós escrevemos para Eugene O'Neill por causa dos problemas de direitos autorais. Ele, que já estava no seu leito de morte, muito enfermo, nos escreveu uma carta emocionante, se solidarizando conosco, dizendo que conhecia muito bem as condições que eu descrevia a respeito do negro no teatro brasileiro, porque essas mesmas condições existiram nos Estados Unidos antes que *O imperador Jones* fosse representado, em 1929, por Charles Gilpin. E assim ele cedia os direitos, não só daquela peça, mas das outras também, onde (*sic*) havia a problemática e os personagens negros. (Semog e Nascimento, A., 2006, p. 131)

Sobe ao palco, com o TEN, essa outra "gente de cor" – protagonistas de outras histórias! – que ganharia visibilidade pelas mãos de Abdias. É possível imaginar o impacto causado por aquele artista polêmico, que aportaria na cidade do Rio de Janeiro "conduzindo, por trilhos tortuosos, o comboio e o sonho do Teatro Experimental do Negro". "Só fizemos uma única apresentação de *O imperador Jones*, no Teatro Municipal, que nos foi cedido por Getulio Vargas. No dia seguinte, a negrada do Brasil todo estava orgulhosa, não se falava de outra coisa! Uma maravilha! Uma coisa linda."

Se Abdias Nascimento era considerado por muitos uma "pedra no caminho", ele parecia ter aprendido a lidar bem com as consequências de traços de sua personalidade, com seus rancores, suas revoltas, alegrias, tristezas, ou seja, suas idiossincrasias. E, evidentemente, sua notável capacidade de enfrentamento. Além de colecionar histórias e mais histórias sobre situações causadas por um negro de "língua destravada". "O [jornal] *O Globo* meteu o pau!", ele diria com um leve sorriso, respondendo à pergunta sobre como a imprensa recebera à época a proposta da dramaturgia e as ações educacionais que ele concebera (e executara) à frente do Teatro Experimental do Negro. E como reagira especificamente à encenação da peça *O imperador Jones* pelos atores do TEN no Teatro Municipal, em maio do ano seguinte? No jornal *O Globo*, no Editorial de 17 de outubro de 1944, podia-se ler o artigo intitulado "Teatro de Negros" (Nascimento, A., 1966, p. 11), no qual o veículo colocava-se frontalmente contrário àquela iniciativa, numa época em que até a menção à palavra "negro" já gerava incômodo, indignação. O Editorial alegava com relação à sociedade brasileira, "não haver nada entre nós que justifique essa divisão entre cena de brancos e cena de negros, por muito que essas sejam estabelecidas em nome de supostos interesses da cultura". O Editorial argumentava ainda que nem historicamente aquele tipo de divisionismo se justificava, uma vez que

> [...] via de regra, os negros escravos, em todo o país, eram muito mais bem tratados do que muitos que hoje vivem desamparados. Os crimes, os tormentos, eram exceções, porquanto a regra foi sempre a doçura brasileira, o fenômeno da mãe preta, dos escravos que, mesmo sobrevinda a Abolição, ficaram por quase toda a parte a ser-

> viço de seus senhores, e morreram acarinhados de todos. Sem preconceitos, sem estigmas, misturados e em fusão nos cadinhos de todos os sangues, estamos construindo a nacionalidade e a raça de amanhã.

Mas a crítica daquele poderoso veículo de imprensa não comprometeria o "brilho" da iniciativa de Abdias, no que ela trazia em si de mais ousado e inovador, tanto do ponto de vista social quanto em termos de dramaturgia. Poucos dias depois desse Editorial, o mesmo *O Globo* traria artigo mais que elogioso de Henrique Pongetti:

> Há no Rio uma elite intelectual negra capaz de traduzir no palco o espírito de uma peça de O'Neill ou de Langston Hughes? Há, sim. A gente se habituou a ver o negro conformista, continuando a executar em liberdade as tarefas humildes do tempo das senzalas, e não repara em certas transformações silenciosas mas profundas. Para mim o propósito mais alto desse teatro ambicioso de homens de cor é resgatar intelectualmente os afro-brasileiros. (Nascimento, A., 1966, p. 14)

Deixemos que o próprio Abdias conte como conseguiu estrear na casa de espetáculos mais importante do país:

> Houve uma reunião lá no palácio do Catete com atores de teatro, e eu fui também. E o Getulio me chamou de lado querendo saber o que era essa coisa de teatro negro. Aí eu expliquei para ele, e "Ah, tudo bem", e disse: "Então, o que

eu posso fazer?" Eu respondi: "Em primeiro lugar, eu quero estrear, quero o Municipal". Atirei logo alto. Agora não é nada, mas naquele tempo era o máximo. E ele cedeu o teatro. Imagine só os caminhos da vida.

O dia que escolhi foi o dia da Vitória dos Aliados na Segunda Guerra. Era um dia só. Pensei: "Não saio daqui". E fomos assim mesmo com todas as dificuldades, porque um teatro profissional de longo tirocínio precisa de uns dias para poder se adaptar ao palco. Imagine nós, que não tínhamos diretor, ator... Aquela vontade de vencer a barreira e mostrar o que a gente era capaz nos deu força e foi um espetáculo histórico do teatro brasileiro. Você imagine, estava aquela coisa na avenida, aquele festão danado na rua pela vitória aliada. Mas tinha muito americano. [...] A plateia de negros era pequena.

Mas na peça toda hora havia cenas pontuadas com tiro de revólver, os tiros dos negros contra o falso imperador. E a gente atirava lá no palco, não sabia se era bomba lá fora, se era o tiro do imperador Jones, era uma confusão danada. Mas o espetáculo foi maravilhoso. Era uma boa plateia, mas não chegou a lotar, porque aquele teatro era grande demais, e era um dia em que todo mundo estava lá fora comemorando. [...] foi importante porque a crítica registrou com entusiasmo o nosso espetáculo.

Antes do espetáculo havia uma grande expectativa, porque havia gente que dizia: "Mas como eles vão fazer o imperador Jones, eles não estão à altura. Eles não têm competência para isso, eles não têm diretor". Era uma peça expressionista de grande complexidade de montagem. [...]

E nós vencemos toda essa barreira. E o espetáculo foi realmente um marco, em 18 de maio de 1945.[7]

O TEN receberia o apoio e a admiração de grandes nomes ligados ao teatro nacional e às artes, e apresentaria sucessivos trabalhos, considerados de alto nível. O dramaturgo Nelson Rodrigues, por exemplo, escreveria *Anjo negro* especialmente para ser encenada pelo TEN, incluindo-se entre as grandes personalidades do mundo da cultura e das artes que teciam comentários com elogios e apoio à iniciativa. Mas o trabalho precisava continuar e, como não havia uma produção de dramaturgos negros, o grupo ainda montaria mais duas peças de O'Neill, *O moleque sonhador* e *Todos os filhos de Deus têm asas*. Em seguida, faria leitura dramatizada de cenas da peça *Calígula*, de Albert Camus (que esteve presente numa das apresentações). Em 1947, no Teatro Ginástico, montou *O filho pródigo*, de Lúcio Cardoso, interpretada por Aguinaldo Camargo, Ruth de Souza, Abdias Nascimento e outros.

Depois veio *Aruanda*, de Joaquim Ribeiro, texto especialmente criado para o TEN em que o autor, trabalhando elementos folclóricos da Bahia, expõe a ambivalência psicológica de uma mestiça e a convivência dos deuses africanos com os mortais.

Nossa encenação compôs um espetáculo integrado organicamente, com dança, canto, gesto, poesia dramática,

---

7. Depoimento de Abdias Nascimento colhido por Vera Lúcia Benedito em 3 de janeiro de 1998.

> fundidos e coesos harmonicamente. Usamos música de Gentil Puget e pontos autênticos recolhidos dos terreiros de candomblé. O resultado mereceu do poeta Tasso da Silveira este julgamento: "É um misto curioso de tragédia, opereta e balé. O texto propriamente dito constitui, por assim dizer, simples esboço: uma das poucas situações esquemáticas, uns poucos diálogos cortados, e o resto é música, dança e canto. Acontece, porém, que com tudo isso, *Aruanda* resulta uma realização magnífica de poesia bárbara". Quando terminou a temporada desse espetáculo, os tamboristas, cantores e dançarinos organizaram outro grupo, que depois de usar vários nomes se tornaria conhecido como Brasiliana, percorrendo quase toda a Europa durante dez anos consecutivos. (Nascimento, A., *apud* Santos, 1997, p. 76)

Em 1948, José de Moraes Pinho escreveu para o TEN *Filhos de santo*, peça ambientada em sua cidade natal, Recife. "O texto entrelaça questões de misticismo e exploradores de Xangô (o candomblé da região) com a história de trabalhadores grevistas perseguidos pela polícia. Paixão mórbida de um branco pela negra Lindalva, que se torna tuberculosa pelo trabalho na fábrica. Sério, bem construído, *Filhos de santo* subiu à cena no Teatro Regina (Rio de Janeiro, 1949)" (Nascimento, A., *apud* Santos, 1997, p. 77).

Escrita também especialmente para o TEN, em 1946, *Auto da noiva*, do afro-brasileiro Rosário Fusco, não chegou a ser encenada no Brasil. Segundo Abdias, o texto dessa "deliciosa paródia crítica da perversa ideologia da 'democracia racial' brasileira" foi trabalhado pelo grupo em várias leituras e ensaios. Apenas em 1974, na distante cidade norte-americana de Bloomington, Indiana, ele assistiria à encenação em português desse texto, feita pelos alunos do Departamento de Línguas e Letras Românicas da Universidade de Indiana.

Rapsódia negra, escrita por Abdias em 1952, lançou duas grandes artistas: a dançarina e coreógrafa Mercedes Batista, aluna de Katherine Dunhan; e a conhecida atriz, na época esposa de Abdias, Lea Garcia.

Também de Abdias Nascimento veio à luz, em 1951, *Sortilégio: mistério negro*[8], censurada duas vezes e proibida de ser levada a público, o que só aconteceria em agosto de 1957, no Teatro Municipal do Rio de Janeiro e no de São Paulo, com direção de Léo Jusi e cenografia de Enrico Bianco. A peça fala dos conflitos de um negro, dr. Emanuel, formado em Direito e casado com uma branca, que sofre o preconceito da sociedade branca e acredita que a mulher, Margarida, se casou com ele por ter antes perdido a virgindade, na época ainda um fato grave. A negra Ifigênia, seu verdadeiro amor, o afastara porque desejava "branquear-se", dormindo com homens brancos. É Ifigênia quem insinua que o filho que Margarida esperava não era do marido e, caso fosse, ela abortaria, por não suportar a ideia de ter um filho negro. Por causa disso, Emanuel es-

---

8. Abdias conta que uma segunda versão de *Sortilégio* resultou de sua estada de um ano na Nigéria, na cidade sagrada de Ife-Ife (1976/77): "Introduzindo na peça novos personagens e cenários, aprofundamos a dimensão da cultura africana fundamental e seu desenvolvimento". A dimensão histórica também mereceu maior destaque na segunda versão, com referência específica à saga de Zumbi dos Palmares.

trangula Margarida e foge para um terreiro de macumba no alto de um morro, onde começa a refletir, oscilando entre sua formação cultural branca e o chamado do sangue e da raça, expresso na religião afro-brasileira. Feita a escolha, ele tira a roupa, símbolo da civilização que acaba de repelir, para reintegrar-se a seu meio, o que se confirma no sacrifício final, em que se deixa atravessar pela lança de Exu empunhada pelas filhas de santo.

> A peça não se desenvolve linearmente, e sim através de *flashbacks*, com elementos não realistas e contínuas intervenções de aparições de Ifigênia, que não se sabe se também morreu, e de Margarida, esta bem morta, filhas de santo, orixás etc. E o que se filtra através desse tipo de encenação é a tomada de consciência do negro sobre sua situação no mundo dos brancos: a libertação estaria na rejeição dos elementos da cultura branca, que o tornam fraco porque alienado dos valores de sua raça, e a sua aculturação não o integra realmente na sociedade a que aspira pertencer. Ao contrário, ela repele-o e persegue-o [...]. (Mendes, 1993, p. 62)

Vejamos o que escreveu Nelson Rodrigues a respeito de *Sortilégio* no jornal *Última Hora* de 26 de agosto de 1957:

> O que eu admiro em Abdias Nascimento é a sua irredutível consciência racial. Por outras palavras: trata-se de um negro que se apresenta como tal, que não se envergonha de sê-lo e que esfrega a cor na cara de todo o mundo.

Aí está "Sortilégio", o seu mistério, que vive, justamente, do seu dilaceramento de negro. Eu já imagino o que vão dizer três ou quatro críticos da nova geração: que o problema não existe no Brasil etc. etc. etc. Mas existe.

E só a obtusidade pétrea ou a má-fé cínica poderão negá-lo. Não caçamos pretos, no meio da rua, a pauladas, como nos Estados Unidos. Mas fazemos o que talvez seja pior. A vida do preto brasileiro é toda tecida de humilhações. Nós o tratamos com uma cordialidade que é o disfarce pusilânime de um desprezo que fermenta em nós, dia e noite. Acho o branco brasileiro um dos mais racistas do mundo.

A primeira condição de "Sortilégio" para ser válida como expressão artística de um problema brasileiro está na base da autenticidade. A peça nutre-se de toda a experiência vital do autor. Ele é o "Dr. Emanuel"; à semelhança do seu herói, foi atirado no xadrez, como um objeto "doutor africano"; e se fosse casado com uma esposa branca estaria sempre diante do limite do crime, do suicídio, da loucura.

Eis a grandeza do personagem: a exasperada solidão. E que grande e quase intolerável poder de vida tem "Sortilégio"! Na sua firme e harmoniosa estrutura dramática, na sua poesia violenta, na sua dramaticidade ininterrupta, ela também constitui uma grande experiência estética e vital para o espectador. Não tenham dúvidas que a maioria da crítica não vai entendê-la.

Sobretudo, dois ou três cretinos que se intitulam a si mesmos de "novos". Mas não são "novos" coisa nenhuma. Entre a Sra. Barreto Leite, que tem a idade do Sr. Mário

> Nunes e os Srs. Paulo Francis e Henrique Oscar, que são garotos, não há diferença. Diga-se a verdade total: não são novos, nem velhos. São burros. Tanto faz que tenham 15 ou 80 anos. A burrice os isenta do tempo. Vão se atirar contra "Sortilégio". Mas nada impedirá que o mistério negro entre para a escassa história do drama brasileiro. (*apud* Nascimento, A., 1966, p. 157)

Era a resposta a todos os que atacavam mais uma iniciativa polêmica daquele "negro ingrato" que "não conhecia o seu lugar", expressões de uso corrente no âmbito da cultura e da sociedade brasileiras. Uma resposta dada a afrontas que lhe chegavam por questões diversas: pelo fato de o dramaturgo e seus artistas negros questionarem e confrontarem parâmetros estéticos (racistas); por transmutarem-se em personagens diversos, para além dos conhecidos papéis de negros escravos ou estereotipados que levavam "ao riso burlesco" (como os vividos repetidamente por atores como Grande Otelo, Mussum e Tião Macalé); ou, ainda, pelo fato de o TEN ter tornado ostensivo e, mais tarde, reconhecido o talento artístico não só do próprio Abdias, mas também daqueles atores e atrizes de origem humilde e tez negra que na "vida real" exerciam funções consideradas "subalternas" (sobretudo empregadas domésticas e estivadores).

A agitação político-cultural promovida por Abdias e pelo pessoal do Teatro Experimental do Negro naqueles anos 1940 tinha como protagonistas sujeitos sociais muito diferentes do que o Brasil se acostumara a ver nos palcos, onde as manifestações culturais elitizadas sempre deram o tom. Ou melhor, sempre compuseram a cena, definindo invariavelmente histórias, personagens e quem os interpretaria. O TEN exerceu influência também em São Paulo, onde grupos negros tentaram fazer o seu teatro experimental, com peças de autores americanos. Um deles encenou em 1966 *Blues for Mr. Charles*, de James Baldwin. Houve ainda tentativas de teatro negro em Porto Alegre, Belo Horizonte e Salvador, além do próprio Rio de Janeiro, onde desde 1950 Solano Trindade liderava o Teatro Popular Brasileiro. Havia ainda um grupo encabeçado pelo ator Milton Gonçalves, que em 1966 encenou *Memórias de um sargento de Milícias* e *Arena conta Zumbi* (Mendes, 1993, p. 50).

Com o TEN, Abdias havia alçado à condição de artistas um número expressivo de pessoas desprovidas até então da menor possibilidade de ingressar no mundo profissional das artes. Outro mérito foram os cursos de cultura geral promovidos pela entidade. A direção do TEN apostava em atividades capazes de estimular o protagonismo social, cultural e político da população negra. Na base do seu projeto encontrava-se o fortalecimento da autoestima, da identidade cultural e da estética negras – com base na valorização da matriz cultural africana e de uma série de projetos de intervenção social. Entre eles, um curso de alfabetização realizado na sede da União Nacional dos Estudantes (UNE), permanentemente aberto a crianças e adultos de ambos os sexos, do qual chegaram a participar cerca de seiscentos alunos. Por tudo isso, sob o emblemático nome de Teatro Experimental do Negro, o que se realizava era, de fato, um projeto revolucionário em vários aspectos.

Além de assinar alguns dos textos encenados, dirigir as montagens e preparar os atores do TEN, Abdias subia ao palco como ator. Ele também participaria de peças teatrais e filmes de renomados dramaturgos e cineastas brasileiros, como: *Perdoa-me por me traíres*, de Nelson Rodrigues; *O homem do Sputinik* (1959), de Carlos Manga; e *Cinco vezes favela – Escola de samba Alegria de Viver* (1962), de Cacá Diegues.

Com Aguinaldo de Oliveira Camargo e Sebastião Rodrigues Alves, além de outros militantes negros, Abdias funda, em 1945, no Rio de Janeiro, o que ele chama de uma espécie de braço político do Teatro Experimental do Negro: o Comitê Democrático Afro-Brasileiro, que também funcionava na sede da UNE.

> O objetivo imediato do Comitê era a luta pela anistia geral dos presos políticos (o país vivia a fase final da ditadura de Getulio Vargas). O Comitê estava aberto a todos que quisessem colaborar, não importando raça, cor, profissão, credo político. O Comitê desenvolveu uma atividade intensa até que veio a anistia e foram libertados os prisioneiros políticos, em sua maioria membros do Partido Comunista. A esta altura dos acontecimentos, os "radicais" brancos da UNE, somados a alguns "radicais" negros, se tornaram maioria na direção do Comitê. Chegara o instante de o Comitê se engajar noutras batalhas políticas mais restritas aos interesses da comunidade afro-brasileira, vencida que estava a etapa da anistia. Foi então que os "radicais", negros e brancos, revelaram a verdadeira razão de sua presença no seio do Comitê: tratar de questão específica do negro era fascismo, que ia resultar na divisão das classes oprimidas. O grupo fundador do Comitê insistiu na necessidade de o Comitê cumprir seu objetivo fundamental: a

> defesa das massas afro-brasileiras em todos os aspectos da realidade do país. E aqui chegamos ao momento culminante: usando a máscara dos "radicais" negros, os "radicais" brancos, como maioria, expulsaram do Comitê os seus três fundadores: Abdias Nascimento, Aguinaldo de Oliveira Camargo e Sebastião Rodrigues Alves. O motivo justificador da expulsão: éramos negros racistas! Com a nossa exclusão, os "amigos" brancos destruíram mais esse esforço no sentido de organizar uma força política independente da comunidade negra. Pois logo que saímos do Comitê este morria de morte natural: para defender a classe operária e os oprimidos de qualquer origem já existia o Partido Comunista, ao qual os "radicais" pertenciam. (Nascimento, A., 1980, p. 173)

Aprendida a lição, a luta prossegue. Ainda em 1945, junto com Aguinaldo Camargo, Rodrigues Alves, Isaltino Veiga, José Pompílio da Hora e Ruth de Souza, Abdias organiza a Convenção Nacional do Negro. Segundo Semog, a convenção reuniu quase quinhentas pessoas em São Paulo e duzentas no Rio de Janeiro. Seu objetivo era discutir as questões de natureza social, política e cultural do negro, a fim de apresentar propostas à Constituinte instalada naquele ano. Vale a pena reproduzir a lista de reivindicações que faz parte do documento final desse encontro (Nascimento, A., 1968a, p. 59):

> 1) Que se torne explícita na Constituição de nosso País a referência à origem étnica do povo brasileiro, constituído das três raças fundamentais: a indígena, a negra e a branca.

2) Que se torne matéria de lei, na forma de crime lesa-pátria, o preconceito de cor e de raça.

3) Que se torne matéria de lei penal o crime praticado nas bases do preceito acima, tanto nas empresas de caráter particular como nas sociedades civis e nas instituições de ordem pública e particular.

4) Enquanto não for tornado gratuito o ensino em todos os graus, sejam admitidos brasileiros negros, como pensionistas do Estado, em todos os estabelecimentos particulares e oficiais de ensino secundário e superior do País, inclusive nos estabelecimentos militares.

5) Isenção de impostos e taxas, tanto federais como estaduais e municipais, a todos os brasileiros que desejarem estabelecer-se com qualquer ramo comercial, industrial e agrícola, com capital não superior a Cr$ 20.000,00.

6) Considerar como problema urgente a adoção de medidas governamentais visando à elevação do nível econômico, cultural e social dos brasileiros.

No ano seguinte, durante a Constituinte de 1946, com base nesse "Manifesto à Nação Brasileira", foi encaminhado um projeto de criminalização da discriminação racial que, se aprovado, integraria a Constituição de 1946. No entanto,

a proposta do senador Hamilton Nogueira foi detonada, de forma veemente, pelo único representante negro na Assembleia Constituinte, o deputado federal pelo Partido Comunista Claudino José da Silva. Este, sob orientação do Partido, afirmou que uma proposta contra o racismo restringiria o sentido mais amplo da democracia; e recebeu, evidentemente, apoios diversos dos demais parlamentares. Para justificar a rejeição da medida antidiscriminatória, alegava-se a falta de provas da existência de discriminação racial no país. (Semog e Nascimento, A., 2006, p. 150)

O jornal *Quilombo* foi outra iniciativa que serviu de tribuna para as questões de interesse das comunidades negras. Na introdução de uma edição fac-símile dessa publicação (Nascimento, A. e Nascimento, E., 2003), que teve dez números lançados entre 1948 e 1950, o professor Antonio Sérgio Alfredo Guimarães afirma que o jornal *Quilombo* expressa o modo como o Teatro Experimental do Negro transformou-se numa ampla mobilização política, cultural, educacional e eleitoral para dar ao negro um lugar autônomo na emergente democracia brasileira. Lembra ainda que *Quilombo* foi, por vários motivos, bastante diferente de seus antecessores da imprensa negra: "Mas talvez o mais importante deles tenha sido justamente a sua inserção e a sintonia com o mundo cultural brasileiro e internacional".

Quilombo abria espaço para intelectuais negros e brancos: gente como Guerreiro Ramos, Ironides Rodrigues, Edison Carneiro, Solano Trindade; ou ainda como Nelson Rodrigues, Rachel de Queiroz, Gilberto Freyre, Artur Ramos, Murilo Mendes, Carlos Drummond de Andrade, Péricles Leal, Orígenes Lessa e Roger Bastide, para citar alguns nomes. Publicou também textos de intelectuais estrangeiros de renome. Mantendo-se em sintonia com o que se produzia em Paris,

Nova York ou Chicago, traduziu e divulgou o texto *Orpheu negro*, de Jean Paul Sartre, entrevistou Albert Camus, reproduziu artigos do *The Crisis,* o jornal dirigido por W. E. B. Du Bois em Nova York; manteve contato regular com a equipe do *Présence Africaine*, órgão da *négritude* francesa, assim como com os principais jornais negros norte-americanos. Discutiu a música, o cinema, o teatro e a poesia feitos no Brasil por negros, assim como as manifestações da cultura afro-brasileira, tais como os candomblés (Nascimento, A. e Nascimento, E., 2003).

Ainda por iniciativa do TEN, foram desenvolvidas várias ações voltadas para a valorização da mulher negra, como o I Concurso Rainha das Mulatas (1947) e o concurso de beleza "Boneca de Piche" (1948). No ano seguinte, o TEN realizou no Rio de Janeiro uma Conferência Nacional do Negro, que reuniu representantes de entidades negras de Minas Gerais, Rio Grande do Sul, São Paulo, Rio de Janeiro e Bahia. Organizada por Abdias Nascimento, Edison Carneiro e Guerreiro Ramos, a conferência pretendia explicitamente ultrapassar os limites das formulações teóricas acadêmicas, distantes da problemática viva e concreta do povo negro.

Um dos objetivos da conferência era fazer pesquisas no Distrito Federal e nos estados do país a fim de conhecer as aspirações dos negros brasileiros, bem como de seus líderes e de estudiosos. Nesse sentido, visava articular um programa para combater as dificuldades concretas da comunidade negra, o racismo e a discriminação racial. Além de todas as discussões realizadas, a conferência elegeu um comitê de organização do I Congresso do Negro Brasileiro.

Duas importantes organizações de mulheres negras foram criadas, em 1950, sob o patrocínio do Teatro Experimental do Negro: a Associação das Empregadas Domésticas (categoria profissional cujas lutas foram encampadas pelo TEN e da qual emergiram algumas grandes atrizes) e o Conselho Nacional das Mulheres Negras – este último fundado por Maria de Lourdes Vale Nascimento, que escrevia a coluna feminina "Escreve a Mulher" no jornal *Quilombo*.

> Essa organização fornecia serviços sociais à comunidade negra, ajudando na solução de problemas de necessidades básicas, como a obtenção de certificados de nascimento, carteiras de trabalho e serviços legais. Suas atividades incluíam também a realização de cursos de alfabetização e de educação primária para crianças e adultos, em colaboração com o Centro de Recuperação e Habilitação do Rio de Janeiro. Atuando em cooperação com o Conselho, a Associação das Empregadas Domésticas era liderada por Elza de Souza e Arinda Serafim, ambas domésticas. A Associação era composta de mulheres que organizavam seu próprio trabalho, independentes da orientação paternalista das organizações convencionais de beneficência. (Nascimento, A., 1981, p. 194)

Realizado no Rio de Janeiro entre 26 de agosto e 4 de setembro de 1950, o I Congresso do Negro Brasileiro também procurava se diferenciar dos congressos afro-brasileiros promovidos no país por estudiosos acadêmicos. No discurso de inauguração do evento, Abdias dizia:

> Sem qualquer mácula de ressentimento, os brasileiros de cor tomam a iniciativa de reabrir os estudos, as pesquisas e as discussões levantadas por vários intelectuais, principalmente pelos promotores do I e II Congressos Afro-Brasileiros de Recife e da Bahia[9], respectivamente, já agora não apenas com a preocupação estritamente científica, porém aliando à face acadêmica do conclave o senso dinâmico e normativo que conduz a resultados práticos. (Nascimento, A., 1982, p. 122)

Segundo Elisa Larkin Nascimento (2003, p. 199),

> Havia no Congresso uma corrente de pensamento representada por Edson Carneiro na liderança e por um grupo de brancos estudiosos do negro, que incluía Darcy Ribeiro e L. A. da Costa Pinto, entre outros. A posição desse grupo implicava um rumo puramente acadêmico para o Congresso, porque segundo sua orientação o negro não tinha reivindicações socioeconômicas ou políticas específicas. Carneiro exemplificava essa orientação quando dizia que a sugestão de uma organização política na comunidade negra significava "importar a solução norte-americana", e que a vivência da cultura negra ou africana no Brasil atual, como valor corrente e dinâmico, constituía um ilusório saudosismo. Outra corrente, popular e majoritária,

9. O I Congresso Afro-Brasileiro foi realizado em Recife em 1934, sob a direção de Gilberto Freyre. O II Congresso foi realizado em 1937 em Salvador, dirigido por Artur Ramos.

> visava tratar precisamente do que definia como as legítimas necessidades específicas, sociais, políticas e culturais, da gente negra. Aguinaldo Silva, Abdias Nascimento e Rodrigues Alves estavam entre os mais ardorosos membros dessa corrente.

Ainda de acordo com Elisa, até a sessão de encerramento, o conflito entre os dois pontos de vista se manteve. O registro taquigráfico dos debates revelaria a participação ativa de membros de todas as camadas e de todos os setores da população negra do país – de operários marginalizados a profissionais liberais instruídos. Somadas, durante cada uma das várias sessões, encontravam-se entre duzentas e trezentas pessoas. O I Congresso do Negro Brasileiro terminou em polêmica. Foi votada e aprovada por unanimidade uma declaração de princípios que recomendava "o estímulo ao estudo das reminiscências africanas no país, bem como dos meios de remoção das dificuldades dos brasileiros de cor e a formação de Institutos de Pesquisas, públicos e particulares, com esse objetivo". E ainda: "A inclusão de homens de cor nas listas de candidatos das agremiações partidárias, a fim de desenvolver a sua capacidade política e formar líderes esclarecidos, que possam traduzir, em formas ajustadas às tradições nacionais, as reivindicações das massas de cor".

Entretanto, depois de encerrados os trabalhos previstos na agenda, a tal corrente acadêmica, que havia participado de tudo, se reuniu à parte e redigiu uma segunda declaração, na qual se isentava das (supostas) implicações racistas contidas no texto da declaração final.

> A despeito das vicissitudes que esses incidentes representam, não há dúvida de que o I Congresso do Negro Brasileiro constituiu um evento de extrema importância para a história da luta afro-brasileira. Reuniu inúmeras organizações negras da época, num foro amplo de debate e análise sobre os problemas que enfrentava a comunidade negra, e lançou vários projetos para tentar resolvê-los. Os arquivos e documentos desse Congresso (que estão no livro *O negro revoltado*) constituem uma das fontes mais ricas e valiosas que existem sobre a experiência afro-brasileira deste século. (Nascimento, E., 2003, p. 205)

O final da década de 1940 e o início dos anos 1950 formam um período agitado no que se refere à questão racial. Dois episódios de discriminação envolvendo artistas negras norte-americanas colocam em xeque a mítica democracia racial brasileira, uma vez que a discriminação cotidiana contra os negros do país não era levada em conta.

Em 1947, a cientista negra norte-americana Irene Diggs foi impedida de se hospedar no Hotel Serrador, do Rio de Janeiro, apesar da reserva feita pela embaixada. Em 1950, a coreógrafa Katherine Dunhan e a cantora Marian Anderson, também negras e norte-americanas, tiveram hospedagem recusada no Esplanada. Os casos repercutiram na imprensa local e alcançaram as páginas de periódicos internacionais. As consequências foram positivas. Em decorrência do destaque que esses episódios alcançaram – para o qual contribuiu o movimento negro, especialmente o TEN –, o Congresso Nacional aprovaria a Lei

Afonso Arinos[10], "cuja pretensão era ser um marco legal contra o racismo, mas que não passou de mais um penduricalho sem pé nem cabeça no rol das iniquidades da legislação brasileira". (Semog e Nascimento, A., 2006, p. 153)

Durante a década de 1950, o TEN ainda realizaria diversas atividades. Sua agenda de eventos culturais e compromissos políticos estava repleta. Entre janeiro e fevereiro de 1954, promoveria o Festival O'Neill; em 1955, o Rio de Janeiro seria a sede da Semana de Estudos Negros e do Concurso de Belas Artes com o tema "Cristo Negro"; em 1961, seria lançada a antologia *Dramas para negros e prólogo para brancos*, organizada por Abdias Nascimento e publicada pelo TEN. Em 1964, a instituição promoveria um curso de introdução ao teatro negro e às artes negras.

Nesse mesmo ano, em que a ditadura militar tomou o poder no país, um dos seus primeiros atos foi prender o representante do Movimento Popular para a Libertação de Angola (MPLA), Lima Azevedo, que foi torturado. Abdias, que era correpresentante oficial brasileiro do MPLA, apelou para o embaixador do Senegal, Henri Senghor, que conseguiu negociar a liberdade de Azevedo com o governo militar. Ainda em

---

10. A Lei n. 1.390, de 3 de julho de 1951, denominada Lei Afonso Arinos, incluiu entre as contravenções penais a prática de atos resultantes de preconceito de raça ou de cor. Foi revogada pela Lei Caó (n. 7.716, de 5 de janeiro de 1989), modificada pela Lei n. 8.081, de 21 de setembro de 1990, e alterada pela Lei n. 9.459, de 13 de maio de 1997. A Lei Caó acrescentou, aos atos previstos na Lei Afonso Arinos, os resultantes de preconceitos de sexo ou de estado civil; tipificou o racismo como crime inafiançável e imprescritível; e aumentou a penalização dos infratores (Semog e Nascimento, A., 2006, p. 157).

1964 a Unesco e o governo brasileiro patrocinaram um Seminário Internacional sobre Cultura Africana, realizado no Rio de Janeiro. Mas o Itamaraty não queria que o negro brasileiro tivesse representação própria e convocou porta-vozes oficiais brancos para representar o Ministério das Relações Exteriores. O TEN denunciou essa atitude. Marietta Campos e Abdias Nascimento apelaram para um dos participantes estrangeiros, Aimé Césaire[11], que denunciou na reunião a precariedade do "antirracismo" brasileiro, que mantinha o negro discriminado dentro do país e o impedia de articular seus próprios conceitos a respeito de sua vida e de seus problemas.

Em 1966, mesmo ano do lançamento do livro *Teatro Experimental do Negro: testemunhos*, o Brasil foi sede de um Seminário contra o Apartheid, o Racismo e o Colonialismo. Por ironia, o governo recebia ao mesmo tempo a visita oficial do governo da África do Sul, o país do *apartheid*. O Teatro Experimental do Negro organizou um protesto público realizado no Teatro Santa Rosa no Rio de Janeiro, contra a hipocrisia e o racismo.

Combativo, mesmo num contexto político perigosamente adverso, Abdias, nesse mesmo ano, faz outra denúncia, com repercussão ainda maior na comunidade ativista internacional. Excluído da comitiva brasileira a embarcar para o Primeiro Festival Mundial das Artes e das Culturas Negras, realizado em Dacar, no Senegal, enviou uma "carta-declaração-manifesto" que cairia como uma verdadeira "bomba" política no evento.

---

11. Poeta e lutador negro mundialmente conhecido, fundou, com Léopold Senghor e Leon Damas, o Movimento da Negritude.

> Era a primeira vez que o ativista brasileiro estendia para fora das fronteiras de seu país sua forma audaciosa – e corajosa – de luta. O que mobilizaria as atenções da cúpula de intelectuais negros pan-africanistas, ligados a uma vertente da *négritude*. O documento enviado por Abdias também seria publicado na revista *Présence Africaine*, importante órgão daquela vertente do movimento pan-africanista, editada em Paris. Era a primeira vez que um negro desse país oferecia à comunidade internacional uma versão diferente da "democracia racial" tão celebrada pelos porta-vozes oficiais brasileiros, invariavelmente brancos, no âmbito da ONU, da Unesco e nos congressos de ciência e cultura dedicados ao exame de relações raciais, ao racismo e/ou à discriminação racial. (Semog e Nascimento, A., 2006, p. 170)

No ano de 1968, o Centro Acadêmico XI de Agosto da Faculdade de Direito da Universidade de São Paulo convidou Abdias para falar sobre o tema da negritude. Entretanto, o diretor da faculdade, Alfredo Buzaid, proibiu o uso do salão nobre da escola para o evento. A palestra se realizaria no pátio interno do prédio das Arcadas, sob vigilância e ameaça de repressão a qualquer momento. Após o golpe de 1964 e, sobretudo, após a promulgação do AI-5, em 13 de dezembro de 1968, no governo do general Arthur da Costa e Silva, seria proibida oficialmente a atividade política negra antirracista. Foi nesse ano que Abdias partiu para um exílio "voluntário", isto é, condicionado pela situação de insegurança gerada pela "revolução" de 1964 com seus inquéritos policiais militares (IPMs) arbitrários, abrindo caminho para as torturas e assassinatos dos oposicionistas.

Com o endurecimento do regime militar, e a repressão intensa instituída pelo AI-5, fui obrigado a deixar o país. A questão racial virou assunto de segurança nacional, a sua discussão era proibida. Fui incluído em diversos Inquéritos Policiais Militares, sob a estranha alegação de que seria encarregado de fazer a ligação entre o movimento negro e a esquerda comunista. Logo eu, que era execrado pelos comunistas, como fascista e racista ao contrário! Ironia suprema... Convidado para uma visita de dois meses de intercâmbio com o movimento negro de lá, embarquei para os Estados Unidos, onde ficaria durante treze anos. O exílio representaria outra fase da luta, em nível internacional e pan-africanista. No Brasil, se iniciaria nessa época uma nova fase do movimento negro. (Semog e Nascimento, A., 2006, p. 164)

6. Exílio: pinturas, exposições, aulas e...

Abdias deixaria o Brasil e aterrissaria numa América que passava por grande conturbação política. Lá também o racismo estava no centro de embates duros, muitas vezes sangrentos. Contraditoriamente, entretanto, começaria ali, em meio à turbulência do racismo à americana, uma nova fase, que na avaliação do ativista, longe de ser um infortúnio, foi vista como um "brinde", uma dessas sortes para as quais as circunstâncias e o destino conspiram.

> Existe um livro com depoimentos sobre o exílio dos brasileiros [*Memórias do exílio*], e o primeiro depoimento foi o meu. E eu falo claramente: eu nasci no exílio, porque num país onde eu não me vejo refletido nas instituições, no sistema de ensino, em nada, eu sou exilado. Eu nunca vi. Na escola onde aprendi a ler e a escrever, depois em todos os meus cursos na faculdade de Economia, eu nunca vi o negro ser mencionado como escravo. Era a única coisa.

> Isso era o meu país. Não tem nenhuma igualdade de oportunidade. Aqui não adianta o negro ter a capacidade que tiver, está sempre submetido a julgamento, a começar pela cor de sua pele, pela sua origem africana. Isso toda minha vida me acompanhou. Eu realmente sempre me senti um exilado. Por isso eu digo: pra mim, sair do Brasil e ir para os Estados Unidos como exilado foi sorte! Foi sorte grande.[12]

Abdias desembarca nos Estados Unidos em meio a uma grave convulsão sociorracial, processo que tinha na sua vanguarda as diversas correntes do movimento pelos direitos civis, humanos e políticos dos afrodescendentes (Moore, 2002). Mesmo na condição de exilado – podendo, portanto, ser expulso do país a qualquer "desvio de conduta" –, Abdias Nascimento não deixou de se posicionar a favor da luta dos negros americanos. Pátria anfitriã de tantos povos e raças e contraditoriamente tão racista, os Estados Unidos e os afro-americanos haviam acolhido no seio de sua comunidade o ativista brasileiro, inaugurando nova fase das relações entre os afrodescendentes envolvidos com as lutas antirracistas nos dois países.

> Naquela época – 1968/69 –, os Estados Unidos ainda fumegavam em decorrência dos violentos protestos dos negros contra o racismo e a discriminação racial de que foram vítimas, mesmo após a luta da década anterior de direitos civis e as conquistas conseguidas por ela. Talvez o conhecimento de uma outra experiência de convivência

---

12. Depoimento concedido a Vera Lúcia Benedito em 3 de janeiro de 1998.

> racial fosse oportuna para mim e para os norte-americanos. Talvez... Talvez por isso acabei contratado como professor Associado do Centro de Pesquisas e Estudos Porto-Riquenhos da Universidade do Estado de Nova York, em Buffalo (SUNYAB). (Nascimento, A., 1982, p. 13)

Abdias viajou para os Estados Unidos atendendo a um (providencial) convite da Fairfield Foundation para ficar dois meses conhecendo organizações culturais e lideranças afro-americanas. Visitou Spirit House, do poeta Amiri Baraka (Leroi Jones), em Newark (New Jersey), assim como o Negro Theatre Ensemble, entre outras instituições do Harlem. Esteve também em Oakland, São Francisco, onde foi recebido pelo presidente do partido Panteras Negras[13], Bobby Seale. Depois disso, durante um ano, permaneceu na Universidade de Wesleyan, em Middletown, no estado de Connecticut, participando do Seminário "A Humanidade em Revolta", promovido pelo Centro das Humanidades daquela instituição de ensino. Lá, além de atuar como professor de literatura brasileira, participaria de outras tantas atividades culturais.

No começo da década de 1970, período ainda agitado por resíduos dos conflitos raciais da década anterior, o interesse pela situação dos afro-brasileiros se expandiu rapidamente nos Estados Unidos. Abdias percorreu vários estados daquele país, convidado para simpósios, palestras, conferências, exposições,

13. Partido negro revolucionário norte-americano fundado em 1966, em Oakland, na Califórnia, por Huey P. Newton e Bobby Seale. Seu objetivo era patrulhar guetos negros para proteger os residentes dos atos de brutalidade da polícia.

debates, painéis e congressos promovidos por associações, galerias e teatros.

Foi também nos Estados Unidos que ele passou a dedicar-se com maior sistematicidade às artes plásticas. A obra artística de Abdias começou com seu trabalho de curadoria no projeto do Museu de Arte Negra. Desafiado pelo amigo Efrain Tomás Bó, pintou suas primeiras telas em 1968. No dia 13 de dezembro, quando o regime militar brasileiro promulgou o AI-5, que fechou o Congresso, intensificando e alargando a repressão das manifestações políticas, Abdias Nascimento estava em Nova York. Uma amiga artista plástica norte-americana, Ann Bagley, o acolheu. Usando palitos de fósforo e restos de tinta que a amiga jogava fora, Abdias pintou seu primeiro quadro no exterior, *Riverside 1*.

Para Abdias, a pintura passaria a ser uma linha de fuga do frio nos invernos do norte. Pintar também significaria construir pontes, pela via artística, para fazer-se comunicar em terras estrangeiras. Autodidata, seria dessa forma que ele desenvolveria seu processo criativo. De volta ao Brasil, continuaria pintando nos intervalos de intensas atividades cívicas e políticas.

Em Nova York, ele mostrou pela primeira vez suas pinturas ao público na Harlem Art e na Crypt Gallery da Universidade Columbia. Passou algumas semanas na Escola de Drama da prestigiosa Universidade Yale, em New Haven, relatando aos estudantes sua experiência do Teatro Experimental do Negro e expondo sua pintura na galeria da Faculdade de Arte e Arquitetura da Yale.

> Os orixás, vestidos nas cores quentes e comunicativas da afetividade afro-brasileira, tocavam fundo os irmãos e

irmãs afro-norte-americanos. Parados frente aos quadros, mais de uma vez vi que alguns tinham os olhos úmidos, outros choravam. Talvez por causa da dor inconsciente pela perda dos deuses que lhes foram arrancados pela violência do escravagismo norte-americano. (Nascimento, A., 1982, p. 16)

Apesar do trabalho como curador, Abdias não havia ainda se apresentado, ao público brasileiro, como pintor. Antes de partir para o exílio, limitara-se a compartilhar apenas com os amigos mais íntimos um interesse surgido na maturidade. O que os norte-americanos veriam pela primeira vez, na exposição no Harlem, eram retratos pictóricos de uma identidade fortemente ligada à experiência da cultura africana no Brasil. Mitologia, crenças e religiosidade negras estariam no centro de uma busca estética cujo objetivo era valorizar formas culturais "confundidas ou até mesmo perdidas" – no dizer de Abdias – nos processos de disputa simbólica com outras culturas e de reterritorialização de aspectos da matriz negro-africana, vividos pelos negros em diáspora. "Isso nos Estados Unidos", diria a um repórter brasileiro em 1970, ainda no exílio, "tem importância, porque aqui, por condições históricas, esses valores, esses signos, foram proscritos. E está-se agora na busca desse passado. Ao contrário do Brasil, onde pudemos guardar com mais autenticidade os valores dessa cultura nas Américas."

Aos 54 anos, Abdias passara a explorar e interpretar, por meio das artes plásticas, um universo simbólico impregnado dessa riqueza cultural africana, com matrizes no Egito Antigo. Em seus quadros, esse universo era evocado num colorido intenso, com representações vívidas, festivas, compostas por elementos do candomblé e do vodu do Haiti, entre tantos outros signos. Produção de um artista que se debruçara também sobre a escrita produzida por meio dos ideogramas adinkras da África Ocidental – e também se imbuíra de inspiração nas referências de heróis e princípios da luta libertária que marca a experiência negra em vários países. Um artista, enfim, afrocentrado.[14]

---

14. Como artista plástico, Abdias realizou exposições individuais no Brasil, em Paris e nos Estados Unidos, onde expôs em museus, universidades e centros culturais em diversas regiões do país. Suas mais recentes retrospectivas foram as organizadas pelo Ipeafro, com curadoria de Elisa Larkin Nascimento e design museográfico de Afonnso Drumond, no Arquivo Nacional (antiga Casa da Moeda, Rio de Janeiro, 2004-2005); Galeria Athos Bulcão (Anexo ao Teatro Nacional, Brasília, 2006); Caixa Cultural Salvador/ II Conferência Mundial de Intelectuais Africanos e da Diáspora (Salvador, 2006). Entre suas exposições individuais se incluem as da Galeria de Arte de Harlem (Nova York, 1969), Crypt Gallery, Universidade Columbia (Nova York, 1969); Escola de Arte e Arquitetura da Universidade Yale (New Haven, 1969); Casa Malcolm X, Universidade Wesleyan (Middletown, 1969); Galeria de Arte Africana (Washington, DC, 1970); Galeria Sem Paredes (Buffalo, NY, 1970); Universidade do Estado de Nova York (Buffalo, 1970); Langston Hughes Center (Buffalo, NY, 1973); Departamento de Estudos Afro-Americanos, Universidade Harvard (Cambridge, MA, 1972); Museu da Associação Nacional de Artistas Afro-Americanos (Boston, 1971); Studio Museum in Harlem (Nova York, 1973); Galeria da Universidade Howard (Washington, DC, 1975); Inner City Cultural Center de Los Angeles (1975); Museu Ile-Ife de Cultura Afro-Americana (Filadélfia, 1975); El Taller Boricua e Caribbean Cultural Center (Nova York, 1980); Galeria Sérgio Milliet, Fundação Nacional das Artes, Ministério da Cultura (Rio de Janeiro, 1982); Palácio da Cultura (Palácio Gustavo Capanema, Ministério da Cultura, Rio de Janeiro, 1988); Salão Negro do Congresso Nacional (Brasília, DF, 1997); Galeria Debret (Paris, 1998).

Lá, fui logo convidado por uma das faculdades mais famosas, a Yale University. [...] Eu cheguei naquele período de grandes levantes. Primeiro fiz uma exposição no Harlem e, logo em seguida, na Columbia University. E os estudantes quebraram tudo, invadiram, e os meus quadros todo mundo respeitou. Pelo contrário, nos meus quadros botavam legendas, completando a ideia de coisa de libertação. Por exemplo, tinha um quadro de Cristo Negro, era um Cristo numa fogueira, como queimavam os negros lá. E eles disseram: "Vamos fazer justiça!", e se integraram à minha pintura. Aquilo me deixou tão comovido. Eu já tinha sentido a solidariedade deles quando fiz a exposição no Harlem. Sabe, era muito difícil encontrar um local para fazer a exposição. E eles mesmos me convidaram para fazer a exposição, eles nem me conheciam. Eu fui a uma reunião na Liberty House, uma organização cultural, e por acaso mostrei umas pinturas, e eles me convidaram. [Depois da] Yale University passei para a Wesleyan University, na cidade vizinha, Middletown, e tomei parte como professor visitante. Veja só, eu acabava de ser contratado como professor visitante. Fiz também exposições e comecei a expor a experiência do teatro negro como instrumento de luta contra o racismo e afirmação de valores da cultura africana no Brasil. Lá eu participei, durante um ano, de um seminário que se chamava "A humanidade em revolta". Compareceram muitas pessoas importantes. E sempre com um tradutor, porque até hoje eu não falo inglês, mesmo sendo casado com uma americana. Eu não quero ser colonizado duas vezes. Já basta o português. Sempre tive intérprete. Enquanto eu estava na Wesleyan, tomei parte dos

> levantes dos estudantes da Harvard, fiz piquetes que eles levaram até a presidência da universidade para impedir que a universidade continuasse a financiar coisas lá na África do Sul, para ajudar o *apartheid*. Eu também me integrei na luta lá, não fiquei de fora, eu sempre fui um participante. Da Wesleyan eu fui para a Universidade do Estado de Nova York, em Buffalo. Aí já fui não como professor visitante, mas contratado mesmo. Entrei lá como professor adjunto e um ano depois passei a *full professor*, em caráter definitivo. Coisa que nunca tive no Brasil. E viajava muito dando conferências, recebia muito convite e fazia também exposições. Sempre denunciando essa falta da democracia racial.[15]

Foi também nos Estados Unidos, mais precisamente em Buffalo, que Abdias conheceu Elisa Larkin, com quem viria a se casar e ter um filho, Osiris.

No início da década de 1970, Elisa Larkin, estudante branca e loira que falava um pouco de português porque tinha morado no Brasil como aluna de intercâmbio, apaixonou-se por esse ativista e professor negro brasileiro com mais de 60 anos de idade. Elisa participara, ainda adolescente, do grande movimento norte-americano pelo fim da Guerra do Vietnã. Engajou-se no feminismo, na luta contra o *apartheid* na África do Sul e no movimento pelos direitos civis nos Estados Unidos, fortemente impulsionado pelo massacre na penitenciária de Attica, próxima à sua cidade natal, Buffalo. Empenhou-se na defesa jurídica e política dos presos rebelados, acusados de

---

15. Depoimento concedido a Vera Lúcia Benedito em 3 de janeiro de 1998.

homicídios, processo no qual o racismo era tema de primeira importância.

> [...] Quando conheci Abdias, era como se tivesse configurado a junção entre vida afetiva e projeto político. O encantamento começou da primeira vez que o vi, mas levou um tempo para crescer e se assentar. Não duvido que tenha havido ali um pouco de amor pelo Brasil, pois só ouvi-lo falar português era para mim uma delícia. Tocava fundo em minha memória das andanças adolescentes em São Paulo, quando me apaixonei pelo Brasil. Mas Abdias me impressionou especialmente, e em primeiro lugar, como ser humano. Parecia que alcançava aquela meta que nós, militantes de esquerda, tanto prezávamos: conciliar a postura subjetiva, individual, com a postura política. A militância de Abdias parecia brotar de um amor profundo pelo seu semelhante, tanto pela humanidade como pelas pessoas individualmente. Ele era tão meigo comigo e com os amigos quanto era brabo e valente na hora de enfrentar um discurso hipócrita ou um racismo encoberto. Certamente, um dos principais aspectos era a compreensão que ele demonstrava da questão de gênero. Ele tinha um jeito de encarar a gente como gente, mesmo do alto da sua maturidade, maior idade e experiência de vida. Ele me valorizava, não como bonequinha de brincar, mas como pessoa plena. No sentido afetivo, Abdias é a antítese do macho machista. Isso me encantou de cara, de forma profunda. O lado artista, poeta, teatrólogo me atraía muito, pois tenho uma queda pela expressão artística que sempre

> me levou a desconfiar daquela política de linha correta da práxis esquerdista. Aqui estava um homem que conciliava o verdadeiro artista e o militante por excelência. Eu achava o realismo socialista chato do ponto de vista estético, e o cúmulo do autoritarismo no sentido ideológico. Aqui estava uma obra cheia de misticismo e criatividade e, ao mesmo tempo, profundamente, autenticamente engajada. Aliás, talvez assim seja uma boa maneira, se é que existe uma, de tentar definir o encantamento pelo Abdias: amor, criatividade, misticismo, engajamento Político (com "P" maiúsculo), tudo profundamente autêntico. (Semog e Nascimento, A., 2006, p. 228-9)

A vida no exílio, seu histórico de militância antirracista, o contato próximo com a comunidade negra norte-americana, seus intelectuais e líderes, o prestígio do trabalho do TEN – tudo isso permitiu que Abdias estivesse presente nos encontros internacionais do mundo africano. Nesses encontros, ele acabaria reforçando os vínculos com o pensamento pan-africanista.

7. A militância pan-africanista

É difícil identificar a origem do pan-africanismo como ideia política. Há quem diga que nasceu como uma simples manifestação de solidariedade fraterna entre os negros das Antilhas (na época) britânicas e os dos Estados Unidos (Decraene, 1962). Carlos Moore diz que a grande Revolução do Haiti, em 1804, desencadeou de modo espetacular o movimento pan-africanista mundial, que se intensificou nas Américas com as aspirações abolicionistas e pós-abolicionistas contra a tutela colonial e imperial na África, no Caribe e no Pacífico.

Segundo Moore, esse movimento começou a se articular no fim do século XIX – com Edward W. Blyden, Booker T. Washington e W. E. B. Du Bois – e celebrou em Londres, em 1900, a sua primeira conferência[16], sob a liderança de Sylves-

16. A Conferência de 1900 tem sido obscurecida na história do pan-africanismo. A tendência, segundo Elisa Larkin, é referir-se somente aos quatro congressos pan-africanos organizados por W. E. B. Du Bois, começando a nomenclatura convencional com o "Primeiro" Congresso Pan-Africano, em 1919.

ter Williams. A partir dos anos 1920, uma segunda e poderosa vertente, fundada por Marcus Garvey[17], ganhou força em escala mundial. Seu objetivo era construir uma África continental soberana e independente política, cultural e economicamente, além de fazer alianças com os povos da diáspora. Uma terceira vertente, a da Negritude[18], surgiu entre os negros das colônias francesas, também na década de 1920 (Nascimento, A., 2002).

W. E. B. Du Bois concretizou as ideias pan-africanas de Sylvester Williams e ampliou sua perspectiva ao organizar, entre 1919 e 1945, quatro congressos pan-africanos. O 5º Congresso Pan-Africano aconteceu em 1945 em Manchester, Inglaterra, sendo em grande parte resultado dos esforços de George Padmore e C. L. R. James. Ele significou uma nova fase de militância e participação popular no movimento pan-africano: a Declaração aos Operários, Agricultores e Intelectuais, redigida por Kwame N'Krumah, enfatizou a necessidade de organiza-

---

17. Marcus Aurelius Garvey nasceu na Jamaica em 1885, onde fundou, em 1914, a Universal Negro Improvement Association [Associação Universal para o Progresso do Negro] (Unia), sem muito sucesso. Dois anos depois foi para Nova York onde ressuscitou a Unia, criando um movimento extremamente popular nos Estados Unidos e fora dele. George Padmore o acusava de ser racista, de pregar a pureza racial e de discriminar os mulatos, mas Elisa Larkin afirma que as ideias de Garvey foram distorcidas. Sonhava com a construção de uma África unida, livre da hegemonia europeia, estabelecida como fonte de força e apoio para os negros em todo o mundo.
18. A palavra "negritude" foi lançada durante os anos 1933-35 por Léopold Sédar Senghor e Aimé Césaire. O *Novo dicionário Aurélio da língua portuguesa* define negritude como (1) Estado ou condição das pessoas de raça negra. (2) Ideologia característica da fase de conscientização, pelos povos negro-africanos, da opressão colonialista, a qual busca reencontrar a subjetividade negra, observada objetivamente na fase pré-colonial e perdida pela dominação da cultura ocidental.

ção política para independência, utilizando-se greves, boicotes e outras táticas não violentas se possível; do contrário, preconizava-se o uso da violência. Nesse congresso, fundou-se um Secretariado Nacional da África Ocidental, chefiado por Kwame N'Krumah, que exigia uma África Ocidental independente, socialista e unida.

Fica mais fácil entender os embates político-ideológicos no interior do pan-africanismo se tomarmos como exemplo a multiplicidade de posições assumidas pelos militantes afro-americanos na época em que Abdias chegara ao exílio. Assim como ocorria nas Américas, o pan-africanismo mundial multifacetado traduzia-se no fato de as lutas negras na diáspora naqueles anos 1960/70 estarem fortemente divididas por grupos de ativistas, representantes, em diferentes países, de três vertentes: facções pró-comunistas, pró-capitalistas e "nacionalistas".

As ideias marxistas tinham vigor, alcance e poder de convencimento preponderante entre aquelas três principais tendências do movimento a que Abdias se engajara. O momento histórico favorecia a essa quase "supremacia" marxista no âmbito do pan-africanismo, à qual o pensador brasileiro se opunha por experiência própria, uma vez que a linha ideológica do marxismo subordinava a questão racial ao conflito de classes. Entre os fatores que potencializavam a "sedução" ideológica produzida pelo marxismo, podiam ser destacados, à época: o bloco comunista no Leste Europeu, e na Ásia, ostentando poder, antes da derrocada que veríamos mais tarde, a repercussão positiva e de alcance internacional da revolução marxista em Cuba, e ainda o fato de os próprios Estados progressistas e movimentos de libertação na África, no Caribe e no Pacífico terem optado pelo marxismo como ideologia.

Nesse conjunto de ideologias, Abdias optaria pela vertente nacionalista, encabeçada por Patrice Lumunba, Aimé Césaire, Cheikh Anta Diop, Malcolm X e Steve Biko, entre outros. Recusava, assim, tanto o comunismo quanto o capitalismo como soluções para os problemas dos negros.

O primeiro grande encontro pan-africanista do qual Abdias participou foi a Conferência Pan-Africana Preparatória de Kingston, realizada em 1973. Carlos Moore, também presente, conta que Abdias foi à Jamaica por conta própria, viajando apenas com um visto de residência fornecido pelo governo dos Estados Unidos, uma vez que seu passaporte fora confiscado pela ditadura militar brasileira. "Ali ele definiu sua visão de um pan-africanismo global, independente dos blocos ideológicos e includente da mulher no pleno sentido da palavra." Nesse encontro, Abdias teria como principal adversário Marcus Garvey Jr., filho de um dos fundadores do pan-africanismo, que defendia a expulsão de Bobby Sykes, mulher negra representante da Austrália, da Ásia e do Pacífico. Abdias, no entanto, contaria com o apoio da viúva de Marcus Garvey, Amy Jacques Garvey: "Foi emocionante ver essa senhora, aos 83 anos e somente quatro meses antes de sua morte, concordar com Abdias, denunciar como 'aberrações' as posições de seu filho e ratificar o caráter mundialista do pan-africanismo definido por Garvey, assim como o novo papel que o gênero feminino estava destinado a cumprir nas tarefas libertárias daquele movimento" (Moore, 2002, p. 24).

No ano de 1974, Abdias Nascimento estaria presente no 6º Congresso Pan-Africano, realizado em Dar-es-Salaam, na Tanzânia, onde se confrontaria com grandes pensadores negros. Dividido nas três diferentes vertentes já citadas, o pan-africanismo se tornara, naquele momento, uma corrente de transmissão do ideário socialista para as lutas negras, tanto no Caribe quanto nas Américas, ou ainda naquelas que se davam a partir dos movimentos de libertação dos países africanos, intensificados entre os anos 1960 e 1970. No documento "Revolução cultural e futuro do pan-africanismo", apresentado nesse congresso, Abdias sintetiza sua visão do que chama de revolução pan-africana:

> [...] é necessário reafirmar nossa tradicional integridade presidida pelos valores igualitários de nossa sociedade pan-africana: cooperação, criatividade, propriedade e riqueza coletivas. Ao mesmo tempo, torna-se imperativo transformar a tradição em um ativo, viável e oportuno ser social, fazendo passar pelo crivo crítico seus aspectos ou valores anacrônicos; em outras palavras, atualizando a tradição, modernizando-a. Tornar contemporâneas as culturas africanas e negras na dinâmica de uma cultura pan-africana mundial, progressista e anticapitalista, me parece ser o objetivo primário, a tarefa básica que a história espera de nós todos. Como integral instrumento de uma contínua luta contra o imperialismo e o neocolonialismo, forjada junto com as estratégias econômico-políticas, essa cultura progressista pan-africana será um elemento primordial da nossa libertação.

> [...] a dinâmica intrínseca às culturas tradicionais africanas é um dado que não pode ser subestimado. Todo o conhecimento que se tem dessas culturas demonstra o oposto desse imobilismo que lhe querem impingir, como a própria razão de ser da produção cultural africana: sempre foi plástica, de extraordinária riqueza criativa, sem qualquer noção do que fosse xenofobia. Este é um fato irredutível que ninguém pode deixar de reconhecer. Se houve uma quebra de seu ritmo ou algo como uma parada estática e não progressiva em seu desenvolvimento histórico, isto se deve à submissão pelas armas e por todo um aparato ideológico imposto pelo colonialismo às culturas africanas; não constitui, portanto, um fenômeno de imobilismo inerente a elas. (Nascimento, A., 1980, p. 44-5)

Em 1976, Abdias passou a residir na Nigéria, onde trabalhou como professor visitante na Universidade de Ifé. Isso permitiu que ele participasse, em 1977, do Festival Mundial de Artes e Culturas Negras e Africanas – Festac 77[19]. Éle Semog afirma que a presença de Abdias na África o aproximava mais de seus companheiros pan-africanistas e da legião de lideranças internacionais e militantes contra o racismo e o imperialismo: "Ainda assim, a ação diplomática da ditadura brasileira logrou êxito, fazendo com que a direção do Festac anulasse a condição de delegado oficial, perdendo Abdias Nascimento o direito de apresentar propostas e de votar, podendo apenas manifestar-

---

19. Os detalhes da participação nesse evento foram relatados detalhadamente por Abdias no livro *Sitiado em Lagos* (Rio de Janeiro: Nova Fronteira, 1981).

-se na condição de observador ao Colóquio Internacional [...]" (Semog e Nascimento, A., 2006, p. 171).

Nesse encontro – quem conta agora é Carlos Moore –, ele se opôs à proposta da Nigéria, apoiada pelo governo militar brasileiro, pela Liga Árabe e por Cuba, que, na opinião de Moore, significava a destruição do pan-africanismo sob tutela de um movimento árabe-africano do qual estaria totalmente ausente o problema racial. Abdias apoiou a posição do presidente do Senegal, Léopold Senghor, um dos criadores da negritude, de que o problema da identidade cultural e racial específica constitui uma reivindicação fundamental do movimento dos povos historicamente submetidos à alienação racial e à escravatura. Vale lembrar que um ano antes, durante o Colóquio Internacional de Intelectuais Negros realizado no Senegal, Abdias havia denunciado o desvio "assimilacionista" da negritude de Léopold Senghor.

Da Nigéria Abdias foi para a Colômbia, onde participou do 1º Congresso de Cultura Negra das Américas. Mais uma vez defendeu a posição pan-africanista e denunciou a política externa do Brasil com relação à África. Em 1980, esteve no Panamá, onde teve participação destacada no 2º Congresso de Cultura Negra das Américas. Nesse encontro, ele apresentou pela primeira vez a tese do quilombismo – uma proposta política para a nação brasileira, e não apenas para os negros. Eleito vice-presidente do Congresso, ficou encarregado de realizar no Brasil o 3º Congresso de Cultura Negra das Américas.

Enquanto Abdias permanecia no exílio, no Brasil a história seguia seu curso. Já no começo da década de 1970, a juventude estudantil iniciava um processo de organização e mobilização contra a ditadura. Esse movimento tem um de seus principais polos de aglutinação na Universidade de São Paulo (USP), mas diferentes iniciativas apontam no sentido de recomposição de forças da sociedade civil e a reconstituição do movimento negro faz parte desse processo.[20]

Em São Paulo, o debate político de maior importância entre os jovens militantes que se reuniam no Centro de Cultura e Arte Negra (Cecan) ocorreu em maio de 1978 e teve como tema justamente as comemorações do 13 de maio. A maioria dos participantes achava que a população deveria ser estimulada a não sair às ruas em protesto contra a falsa liberdade concedida pela Lei Áurea. A proposta contrária, defendida pelo Núcleo Negro Socialista, que tinha entre seus quadros Hamilton Bernardes Cardoso, e pelo Grupo Decisão, no qual estavam Rafael Pinto e Milton Barbosa, era de sair às ruas para denunciar o mito da princesa Isabel como redentora, uma das bases da ideologia da democracia racial. O pressuposto era de que o 13 de maio ainda era uma data significativa para a população negra e seria comemorada de qualquer forma, sendo melhor participar criticamente do que se omitir. Essa proposta foi

---

20. Em 1970, no Rio Grande do Sul, forma-se o Grupo Palmares, que em 1974 propõe que o dia da morte de Zumbi dos Palmares, 20 de novembro, se torne a data nacional dos afro-brasileiros, no lugar de 13 de maio. Em Salvador, em 1974, surge a Sociedade Cultural Bloco Afro Ilê Aiyê. No Rio de Janeiro, a Sociedade de Intercâmbio Brasil-África (Sinba) e o Instituto de Pesquisa das Culturas Negras (IPCN) desempenham um importante papel na reaglutinação do movimento negro fluminense. Ainda no Rio, em 1976, Lélia Gonzalez abre o curso de Cultura Negra da Escola de Artes Visuais, no momento em que aumenta o intercâmbio entre as organizações cariocas e paulistas (Carrança, 2008).

vitoriosa e o 13 de maio entrou no calendário do Movimento Negro Brasileiro como o Dia Nacional de Luta contra o Racismo[21], enquanto o 20 de novembro ficou conhecido como Dia Nacional da Consciência Negra.

Em decorrência disso, organiza-se em 13 de maio de 1978 o primeiro ato do movimento negro, no Largo do Paissandu, durante as comemorações oficiais da data. Na concentração inicial, que reuniu cerca de 1.200 pessoas, vários oradores falaram, denunciando a situação marginal da população negra e a farsa do 13 de maio.

O impulso para a mobilização veio em grande parte dos acontecimentos envolvendo Robson Silveira da Luz, torturado e assassinado no início daquele mês nas dependências da 14ª Delegacia de Polícia da Capital. Em seguida, a discriminação sofrida por quatro garotos negros, expulsos do time juvenil de basquete do Clube de Regatas Tietê, desencadeou novas e fortes reações no interior da comunidade negra. Os dois episódios causaram grande indignação. Em 18 de junho de 1978, grupos e entidades se reúnem na sede do Cecan para deliberar sobre as ações a serem implementadas. Nessa reunião foi fundado o Movimento Unificado Contra a Discriminação Racial (MUCDR), que seria lançado no dia 7 de julho em um Ato Público contra o Racismo.

---

21. A ideia de que 20 de novembro substituísse o 13 de maio como data nacional da população negra foi lançada em 1971 pelo Grupo Palmares de Porto Alegre, liderado pelo poeta Oliveira Silveira. A proposta, definida sobre o consenso de que o Quilombo de Palmares foi o episódio mais importante da história do negro no Brasil – símbolo de resistência à opressão –, foi acolhida pelos ativistas negros de todo o país.

Ao anoitecer do dia 7 de julho de 1978, cerca de duas mil pessoas, a grande maioria negros e negras, concentraram-se na praça Ramos de Azevedo, em frente ao Teatro Municipal de São Paulo. O ato, que contou com a presença de militantes de associações negras do Rio de Janeiro, além de moções de apoio do Rio Grande do Sul, de Minas Gerais e da Bahia, culminou com o apelo à criação de uma entidade nacional que unificasse as lutas contra a discriminação racial. Éle Semog lembra que o professor Abdias esteve presente nesse ato e diz que quando ele chegou ao Teatro Municipal, vestindo uma túnica africana e já no meio do ato público, a imprensa alvoroçou-se, dando a impressão de que ocorria um tumulto. Ao mesmo tempo, Abdias surpreendia alguns militantes e simpatizantes, por aparecer acompanhado de sua esposa, Elisa Larkin Nascimento, uma mulher branca, no centro de uma tensão radical e pronta para explodir:

> O professor Abdias não era um consenso, e sua história era de conflitos e antagonismos com a esquerda, que, naquele momento, se expandia capilarmente pelo movimento negro. Mas existia um grande respeito por ele no ambiente da manifestação. Fez um discurso vibrante. Engajou-se no MUCDR, e mesmo depois do racha, quando a denominação passou a ser Movimento Negro Unificado – MNU, ele lá permaneceu e ajudou a implantar muitos núcleos pelos estados brasileiros, numa infindável tarefa, com muitos companheiros do movimento, de organizar a comunidade negra, pois o que lhe interessava não era o caráter ideológico tendencioso do MUCDR, mas sim a possibilidade de mobilização dos

> afro-brasileiros na defesa de suas próprias causas. (Semog e Nascimento, A., 2006, p. 169)

A grande repercussão nacional e internacional da manifestação coloca o movimento em novo patamar. A realização desse ato desnuda a falácia da afirmação insistentemente feita pelos governos e pela diplomacia do Brasil de que o país é um paraíso racial, ao mesmo tempo que demonstra o anseio da população negra de encontrar caminhos para combater de maneira mais incisiva o racismo e suas consequências. A necessidade de construir uma organização nacional do movimento negro passa a ser discutida por um conjunto amplo de ativistas.

No mês de julho, foram realizadas uma reunião de avaliação do ato e a primeira assembleia. Nesse momento, por sugestão de Abdias Nascimento, a palavra "negro" é incluída no nome da organização, que passa a se chamar Movimento Negro Unificado Contra a Discriminação Racial (MNUCDR). Milton Barbosa explica:

> Hamilton Cardoso, na época porta-voz do Núcleo Socialista, queria fazer um movimento do tipo SOS Racismo da França, que junta todo mundo. Já eu e Rafael queríamos construir o embrião de um movimento de libertação nacional. Não estava decidido na nossa cabeça o que seria, mas nós já tínhamos essa noção. A gente estudava muito os movimentos de libertação em África, partidos políticos, e achávamos que tinha que construir um movimento negro organizado. Quando Abdias [Nascimento] veio com a palavra "negro" nós abraçamos, porque queríamos uma única coisa: organizar o povo negro. (Carrança, 2008, p. 57)

8. De volta pra casa: Ipeafro e PDT

Depois de um exílio de treze anos, Abdias Nascimento volta ao Brasil. Com o apoio de Dom Paulo Evaristo Arns, cria em São Paulo, em 1981, o Instituto de Pesquisas e Estudos Afro-Brasileiros (Ipeafro). A proposta era instalar na Pontifícia Universidade Católica de São Paulo um setor de ensino e pesquisa de assuntos afro-brasileiros e uma biblioteca formada pelo acervo de Abdias Nascimento – uma vasta coleção de livros, fotografias, documentos e registros históricos. Em São Paulo, o instituto organizou e realizou, em agosto de 1982, o 3º Congresso de Cultura Negra das Américas sob a presidência de Abdias Nascimento e a coordenação de Dulce Pereira. O congresso se realizou nas dependências da PUC de São Paulo, na rua Monte Alegre, onde funcionava o Ipeafro.

O governo brasileiro se recusou a encaminhar a solicitação de financiamento aos organismos internacionais, a Unesco e a OEA, que haviam possibilitado a realização dos primeiros dois congressos. Mesmo sem esse apoio, o Ipeafro e o movimento negro brasileiro, sob a liderança de Abdias e a competente atuação de Dulce Pereira, conseguiram realizar o 3º Congresso. Pela primeira vez, vieram para o Brasil representantes do Congresso Nacional Africano, da África do Sul, e da SWAPO – movimento de libertação da Namíbia –, bem como delegados de vários países da América do Norte, da América do Sul e do Caribe. O filme *Ori*, de Raquel Gerber, registra a presença no 3º Congresso do representante do partido Nova Joia de Granada, Don Rojas, integrante do grupo de orientação marxista que chegaria ao poder naquela ilha do Caribe. O plenário elegeu Granada para sediar o 4º Congresso de Cultura Negra das Américas, o que não aconteceria por causa da invasão do país pelas tropas norte-americanas e do assassinato de seu líder, Maurice Bishop. Ainda nesse período, o Ipeafro realizou o curso de extensão "Conscientização da Cultura Afro-Brasileira" e vários seminários, além de promover uma pesquisa de campo sobre comunidades-quilombos em vários estados do Brasil.

Mas a PUC de São Paulo não oferecia as condições necessárias para sustentar a proposta do Ipeafro. Depois que parte do acervo do professor Abdias Nascimento se perdeu por falta de condições de armazenamento, o instituto mudou-se, em 1984, para o Rio de Janeiro, onde organizou um seminário internacional sobre a independência da Namíbia. Entre 1984 e 1987, com o apoio do Instituto RioArte e da Secretaria de Cultura do Município do Rio de Janeiro, publicou a revista bilíngue *Afrodiáspora*. De 1985 a 1995, ministrou o curso "Sankofa: Conscientização da Cultura Afro-Brasileira" e ganhou o prestígio da comunidade negra e de professores em geral, graças a eventos como o 1º Fórum sobre o Ensino da História das Civilizações

Africanas na Escola Pública, que reuniu centenas de educadores em 1991.

PDT E VIDA DE POLÍTICO

Em 1979, o governo Geisel foi obrigado a conceder anistia aos exilados políticos. Foi nessa época que Abdias manteve os primeiros contatos com Leonel Brizola, político histórico do Partido Trabalhista Brasileiro (PTB), ex-governador do Rio Grande do Sul, cassado e perseguido pelo regime militar, que vivia exilado em Nova York. Os encontros entre Abdias e Brizola passaram a se tornar regulares à medida que ficava claro que o barco da ditadura fazia água, e que a instalação de um regime democrático apontava com mais nitidez no horizonte do Brasil.

O problema era a convicção de Abdias de que os partidos de esquerda seriam incapazes de realizar, de fato, o combate ao racismo no país. Mas Brizola, sensível aos anseios populares, compreendeu a importância das preocupações e a validade dos argumentos do novo amigo. O PTB, que depois se tornaria Partido Democrático Trabalhista (PDT), foi fundado no exílio, em 17 de junho de 1979. No estatuto do partido, o quarto compromisso é com "a causa das populações negras, como parte fundamental da luta pela democracia, pela justiça social e a verdadeira unidade nacional. [...]"

Na década de 1980, Abdias Nascimento começaria uma intensa vida parlamentar. Ainda no exílio, graças à presença na fundação do PDT, conseguiria viabilizar, ainda em 1981, a criação da Secretaria do Movimento Negro do partido. Em 1982, no primeiro pleito após o regime de exceção, conquistaria, também sob a legenda pedetista, o posto de deputado federal, tornando-se o primeiro parlamentar afro-brasileiro a dedicar seu mandato à luta contra o racismo. A proposição de projetos de lei definindo o racismo como crime de lesa-humanidade e a criação de mecanismos de ação compensatória para os negros brasileiros foram as principais bandeiras de sua primeira experiência parlamentar, que se estenderia de 1983 a 1986.

Era um período em que os parlamentares brasileiros não recebiam bem os discursos de Abdias. Por força da crença no mito da democracia racial brasileira, entre outras razões políticas, comportavam-se, sobretudo na Câmara, de maneira ostensivamente intolerante, até mesmo agressiva, toda vez que Abdias tomava a palavra para denunciar a existência do racismo como elemento estrutural da sociedade brasileira. Como deputado, ele ajudou a levar as posições do movimento negro aos presidentes Tancredo Neves e José Sarney e aos seus ministros. Atuou na desapropriação da Serra da Barriga (ver o Capítulo 9) e na questão das comunidades-quilombos. Levou à tribuna federal o questionamento do 13 de maio e a definição do dia 20 de novembro como o Dia Nacional da Consciência Negra.

Era a primeira vez na história daquela casa que um parlamentar se dispunha a denunciar ferrenhamente a situação de seus irmãos de raça – e a incluir a questão negra na pauta das grandes discussões de interesse nacional. "Quando cheguei à Câmara como deputado pelo PDT, não me deixavam falar, queriam cortar a minha palavra, achando que estava falando absurdos. Depois de anos passados fazendo a minha pregação, já podia falar mais, já recebia, por exemplo, o aval dos senadores aos meus projetos de lei. A sociedade vem mudando, à medida que a gente bate, bate, bate, na mesma tecla. É verdade que é assim aos pouquinhos, mas é um processo irreversível."

Em 1991, ainda sob a legenda do PDT, Abdias chegaria ao Senado Nacional e pouco depois seria nomeado primeiro titular da Secretaria Extraordinária de Defesa e Promoção das Populações Afro-Brasileiras (Seafro) do Governo do Estado do Rio de Janeiro, criada pelo governador Leonel Brizola. O cargo foi exercido entre 1991 e 1994. Segundo Abdias, em seu discurso de posse, "nunca houve uma instituição a nível oficial, no âmbito do Estado, entregue às mãos das próprias vítimas da sociedade, para que esta comunidade pudesse se autodefender. Acho que está mudando a sociedade, e essa Secretaria vem acelerar essa mudança, que, aliás, já chega tarde".

Sua posse se dera num contexto político com peculiaridades jamais observadas em nenhum outro momento da história do país. Era a isso que Abdias se referia. Era a primeira vez que se implantava um órgão público com aquelas características. Era a primeira vez também que o espectro político-partidário incluía uma agremiação de esquerda que estimulava a candidatura de afro-brasileiros a cargos eletivos. Foi o que se viu em um comício realizado naquele período, em Madureira, no Rio de Janeiro, em que o governador Leonel Brizola compartilhou o palanque com Abdias e outros políticos do movimento negro brasileiro ligados ao PDT e a partidos aliados. "Eu me sinto feliz e à vontade quando vejo a luta pela igualdade e emancipação do povo negro no Brasil", Brizola começaria a falar. "O companheiro Abdias me ajudou, naquelas horas tristes e intermináveis do exílio, a compreender toda essa tragédia de injustiça e de desigualdade, de exploração e também de discriminação. Vivo hoje a honra, o conforto de poder conclamar que foi o nosso partido, a nossa corrente política, que, ao se organizar, em nosso país, já na fase final do regime militar, levantou com uma força que ainda não se conhecia [essa bandeira]. Assumiu na sua totalidade a causa dos nossos irmãos negros, querendo saber por que, de onde vem e como é que se mantém ainda essa atitude discriminatória."

Brizola continuaria seu discurso, em tom enfático, mostrando ter adquirido maior intimidade com a experiência do negro brasileiro. "Quando dizem: 'Pega ladrão!', a polícia corre atrás do negro, deixando o branco inteiramente à vontade." E passaria a dividir com o público reunido naquela praça de Madureira uma série de indagações. O porquê de as prisões, "por trás de seus muros, conterem uma maioria de negros". As razões pelas quais, quando vamos às favelas, "constatamos que 90% dos que vivem lá são os nossos irmãos negros". O fato de as vítimas dos grupos de extermínio, dos esquadrões da morte, serem, "em alta percentagem, senão 90%, 80% de jovens negros que tombam".

Ainda no Rio de Janeiro, naquele início de década, Abdias também denunciaria publicamente, em discurso, o "assassinato planejado" da juventude negra brasileira: "Existe uma matança organizada de negros em estados como São Paulo e Rio de Janeiro. É um verdadeiro escândalo como se matam negros nesse país. E ninguém diz nada, parece uma coisa natural. Vou para o Senado fazer essas denúncias. E não só lá, mas em todos os fóruns internacionais. Estarei, por exemplo, indo para Toronto, no Canadá, participar, em breve, de seminário internacional sobre o extermínio de negros, sobre o genocídio de africanos em toda a parte do mundo. E vou lá denunciar o que acontece aqui no Brasil".

A voz de Abdias ressoaria entre as audiências da Câmara e do Senado com a agilidade intelectual necessária para um combate em várias frentes. Eram diversos os argumentos e pontos de vista dos parlamentares que discordavam da perspectiva sob a qual o político negro apresentava sua concepção das relações raciais no Brasil (Sousa, 2005). Em 1996, com a morte do senador Darcy Ribeiro, Abdias assumiu novamente a cadeira, exercendo o mandato de senador até 1999. Reapresentou no Senado seu projeto de lei sobre ação compensatória. Com duas propostas, procurou estabelecer o princípio da reparação para o povo afrodescendente. A primeira criava uma ação civil pública contra atos e omissões de discriminação racial; a segunda impedia que o setor público contratasse empresas que cometessem atos e omissões de discriminação racial.

Abdias apresentou ainda emenda à Constituição Federal garantindo às comunidades remanescentes dos quilombos os mesmos direitos fundiários assegurados às populações indígenas. Também sugeriu a inscrição dos líderes da Conjuração Baiana e dos mártires da Revolta dos Alfaiates no Livro de Heróis da Pátria, no Panteão da Liberdade e da Democracia, Praça dos Três Poderes, Brasília. Instituiu o Prêmio Cruz e Sousa, comemorativo do centenário da morte do poeta simbolista catarinense, presidiu os trabalhos do respectivo Concurso de Monografias e publicou livro com os respectivos documentos e textos. Além disso, participou das primeiras articulações de uma frente parlamentar afro-brasileira.

9. Palmares, orixás, Orun e outros temas transcendentes

Era o ano de 1980. Na madrugada do dia 20 de novembro, Abdias Nascimento e outros militantes negros haviam começado a subir a Serra da Barriga, no município de União de Palmares, estado de Alagoas, na primeira peregrinação ao local no qual havia sido instituída, cerca de quatrocentos anos antes, a República de Palmares.

Mãe Hilda, ialorixá do terreiro de candomblé Ilê Axé Ogum, diretamente ligada ao bloco afro-baiano Ilê Ayê, faz o percurso sentada sobre o dorso selado de um cavalo que se locomove em marcha lenta. No seu trote compassado, o animal acompanha o grupo, que faz a subida da serra num ritmo adequadamente cerimonioso, ritualístico até. Apropriado ao clima reverente com que as pessoas a seu lado se dirigiam, ao lugar onde o líder negro Zumbi dos Palmares havia combatido ferrenhamente as investidas e cercos militares, impondo uma resistência ao regime escravista cuja duração fora de quase um século. Em parte desse período, o líder negro esteve no comando de um tipo muito especial de república, em pleno Brasil Colonial.

Já se ouvira, e continuaria a se ouvir, em pronunciamentos públicos diversos, Abdias referir-se ao herói maior da resistência negra no Brasil, destacando-lhe qualidades com as quais parecia se identificar. "Zumbi simboliza o negro que não aceita migalhas, consciente de que a sua é uma luta coletiva que só terá fim com a libertação da totalidade de seus irmãos", afirmaria em um de seus pronunciamentos no Senado (Sousa, 2005).

E por ocasião do "Tricentenário da Imortalidade de Zumbi", em 20 de novembro de 1995, Abdias diria:

> [...] as comemorações do tricentenário não se esgotam aqui, nas festas, nos discursos. Elas têm também o sentido de indicar uma melhora para a sociedade brasileira. Temos que melhorar nossa qualidade de vida, e a sociedade quilombista dá um exemplo desse melhor relacionamento entre os diversos segmentos do nosso povo, da nossa nação brasileira. De forma que nós, os políticos, devíamos nos debruçar sobre o exemplo da sociedade de Palmares, e não ficarmos pensando que tudo se resume a apenas o discurso sobre o tricentenário.
>
> É uma coisa prática que nós devíamos adotar, em vários setores da economia, por exemplo. [O exemplo de Palmares] era de uma economia muito bem estruturada, que até aguçava a cobiça dos senhores de engenho da região, que tentavam muitas vezes liquidar a República de Palmares para se apossar daquele tipo de agricultura diversificada [...].

> O normal daquela época era uma monocultura de exploração, e não pensavam em alimentar o povo. [...] Diferente do que se via no quilombo, onde se faziam as coisas para o próprio povo. (Sousa, 2005)

Com a clareza que lhe é peculiar, Abdias explicaria naquela ocasião como via o papel dos intelectuais africanos e afrodescendentes: propositores de caminhos alternativos, inspirados na própria experiência negra na diáspora, sem atrelar-se a essa ou aquela corrente ideológica. Naquelas comemorações do Tricentenário da Imortalidade de Zumbi, Abdias deixaria explícita, por conseguinte, sua posição em favor de um "pan-africanismo global" – que fosse independente de blocos ideológicos e incluísse a participação valorosa das mulheres.

Para Abdias, Zumbi e a experiência de Palmares permitiram aos afro-brasileiros inaugurar "um roteiro de luta, de heroísmo, de esperança", e assim instituir a "primeira república livre das Américas". "Nós, os negros do Quilombo dos Palmares, defendíamos a paz com as armas na mão", diria Abdias na cerimônia de assinatura do projeto de lei que instituiria, em 2003, a Secretaria Especial da Promoção de Políticas de Igualdade Racial (Seppir).

Àquela solenidade estiveram presentes diferentes gerações de militantes de diversos pontos do país. Na ocasião, Abdias cobraria de Lula que a nova Secretaria (que surgia com *status* de ministério) permitisse "uma outra abolição da escravatura", "uma abolição de fato", "a segunda abolição", que já tardava. "O sonho de Zumbi tem que ser concretizado agora! Eu queria morrer com essa tranquilidade, porque sei que ninguém é eterno."

Zumbi, entretanto, naquele início da década de 1980 em que Abdias e Mãe Hilda, entre outros combatentes da luta negra no Brasil, subiram diversas vezes a Serra da Barriga, ainda não havia sido inscrito no panteão dos homenageados oficialmente pela comunidade nacional.

Três anos depois, Abdias e Mãe Hilda, ao lado de outros militantes, enfrentariam mais uma vez o acesso a Palmares. Lá promoveriam um ato público pelo tombamento da Serra da Barriga, prevendo, como afirmaria Abdias na ocasião, que o lugar "fosse se transformar num verdadeiro templo", num "local de peregrinação da raça negra".

Homenagens e manifestações como as relatadas, reivindicando a criação de memoriais e monumentos, a realização de solenidades, mostras e exposições e a produção de publicações, entre outras estratégias, estão ligadas a um processo de recuperação histórico-simbólica empreendido pela militância negra ao longo de décadas. E está em curso desde o período pós-abolição, compreendendo o resgate histórico e a posterior exaltação, pela via da cultura, de nomes e experiências que representam a resistência, o valor, a luta e as realizações dos afrodescendentes, encarnados em figuras históricas, brasileiras ou não, entre as quais e Zumbi dos Palmares se destaca.

Abdias e os demais militantes que subiram a Serra, naqueles anos 1980, davam os passos iniciais em prol da conquista do merecido reconhecimento e da exaltação daquele guerreiro quilombola como herói nacional. Eram protagonistas de uma luta política, cujo resultado seria o reconhecimento da Serra da Barriga, a princípio como monumento histórico, passando depois a monumento nacional.

Vitórias de Abdias e sua gente, para os quais a criação do Memorial Zumbi em terras alagoanas significaria um reconhecimento da própria saga dos afro-brasileiros, ainda tão mal contada, deturpada e por muitos desconhecida. Resultados de um tipo de narrativa historiográfica que, durante décadas a fio, refletira nos textos escolares um tipo de abordagem da História do Brasil em que se tributa a feitos individuais a extinção da escravidão no país, excluindo do relato histórico realizações, insurreições, combates e uma visão processual na qual se insiram, entre outros importantes fatores, as lutas de uma parcela da população que, com seu trabalho, ergueu as bases da nação brasileira. E também se rebelaria, lutando para libertar-se da condição escrava, em momentos históricos diversos, entre os quais o episódio de Palmares se inscreve.

O clima era úmido e quente, naquele final de novembro, no município situado a 100 quilômetros de Maceió. A cena registrada em fotografia, naquele ano de 1983, se transformaria num documento histórico. Pouco tempo depois, já no topo do morro, a imagem e o discurso do ativista seriam um capítulo à parte, emocionante e comovente para os que por ali pernoitaram.

> Eu invoco aqui o poder e a força de Olorum. Olorum, nosso pai!
>
> Eu invoco aqui o poder guerreiro de Ogum!
>
> Eu invoco aqui Xangô das tempestades!
>
> Eu invoco aqui Oxum, a deusa do amor!
>
> Eu invoco aqui Iansã, a guerreira!

É com esses deuses, é com esses líderes, que nós, os negros desse país, subimos de joelho a tua terra Zumbi. Subimos de joelho essa terra encharcada com teu sangue!

É aqui que nós te prometemos Zumbi: a luta não vai parar! Os exploradores do negro não vão ter descanso enquanto a nossa nação negro-africana não for definitivamente livre![22]

CONSCIÊNCIA E RELIGIÃO

Comecei uma de minhas entrevistas com Abdias perguntando a ele o que significava ter "consciência negra". "Primeiro é preciso dizer que 'negro', traduzido da forma com que eu encaro, quer dizer alguém que tem origem no continente africano e que sabe que a palavra 'negro' sozinha não quer dizer muita coisa", disse. "É preciso situar esse negro, porque do contrário fica parecendo que ser negro é uma questão só de cor de pele. É uma questão histórica e cultural que nos remete à África e à diáspora. A partir desse esclarecimento, podem se construir as teorias, as concepções."

Eu quis saber também sobre a origem da forte referência à religiosidade de matriz africana na pintura e em outras formas de expressão de Abdias. "Seus quadros revelam a profundidade da relação estabelecida pelo senhor com o universo mítico religioso negro. Também em seus discursos políticos feitos nos

---

22. Ver o DVD "Abdias Nascimento – 90 anos – Memória viva", concebido como parte da exposição homônima, realizada entre 15 de novembro de 2004 e 1º de maio de 2005 pelo Ipeafro, com apoio da PUC-Rio e do Arquivo Nacional, sede da mostra.

palanques, nos tempos de militância no PDT, assim como na Câmara e no Senado, o senhor frequentemente louvava Olorum, deus dos deuses, assim como os demais orixás do panteão africano. A Exu, o orixá da comunicação, solicitou inúmeras vezes que o ajudasse na sua interlocução com públicos os mais diversos. O senhor é do candomblé?"

A resposta, que me parecia óbvia, chegava acompanhada de uma crítica contundente à Igreja Católica. "Sim, sou do candomblé, quero respeitar os meus deuses da tradição africana e não tenho o menor escrúpulo de dizer que as religiões cristãs estão chantageando o negro. Eu fui visitar lá em Gana a fortaleza El Mina. Onde eles colocavam os escravizados antes de embarcar para cá. Antes de colocar os negros escravos nos navios negreiros, eles tinham um período de espera. Tanto lá no El Mina como em várias dessas fortalezas, como a Casa dos Escravos na Ilha de Gorée, no Senegal. E eles (os escravos) iam se acostumando com o horror da escravidão naquela construção colossal, que está bem conservada, como se tivesse sido feita ontem. Lá tem os vários presídios, as várias salas de depósito de escravos. E tem também a cruz de Jesus Cristo! É uma coisa tão violenta colocar a imagem de Jesus Cristo ali, junto daquelas celas legitimando aquele horror que foi o tráfico, a escravidão. Fingiam-se de piedosos e humanitários, mas estavam é atrás do lucro", Abdias continuava a falar com a voz embargada.

"Você vê o padre Antônio Vieira, que todo mundo acha um santo. Mas basta ler o discurso dele para se constatar o teor racista, dizendo que o negro não era ser humano. O sistema de ensino no Brasil escondeu o que foi a realidade dos cristãos e como foi a vida do negro na sociedade brasileira. O que o movimento negro está fazendo é tirar esse véu de fantasia."

Abdias passaria algum tempo a comentar o fato de a Igreja Católica ter legitimado o comércio de seres humanos que durante quatrocentos anos esteve no centro da economia mundial, promovendo um dos mais atrozes êxodos de pessoas de que se tem conhecimento na história.

Relembrando os quase 13 milhões de africanos escravizados para atender à grande propriedade monocultora – e todas as consequências nefastas da escravidão, no Brasil e no mundo – Abdias diria: "Se o Brasil tivesse o mínimo de consciência histórica, já teriam sido tomadas medidas para apressar esse intercâmbio de vivência entre pretos e brancos num outro nível, numa outra perspectiva, com mais justiça, melhor distribuição de renda e com relações humanas viáveis e realmente de acordo com os princípios que tanto se apregoa. Já falo da questão da injustiça fazendo menção inclusive ao espírito cristão. Por isso mesmo eu deixei de ser cristão há muito tempo".

Abdias nascera numa família de católicos. A mãe, dona Josina, vez por outra "dava suas escapadelas para o espiritismo kardecista", mas sem nunca ter se envolvido – "infelizmente", no modo de ver de Abdias – com o candomblé ou a umbanda. Na infância em Franca, o ativista não poderia ter aderido a essas religiões, pois o candomblé, entre outras "coisas de negro", era professado às escondidas, em locais distantes dos olhos curiosos do menino.

Estudos revelam uma cruel repressão aos folguedos e à religião dos negros empreendida pelos senhores de escravos no Brasil Colônia. Por isso, os santos e as figuras bíblicas estão associados, no Brasil, aos orixás, os deuses do panteão africano. São Jorge e Ogum, cultuados por meio de uma mesma imagem, são bons exemplos das consequências desse tipo de sincretismo: os negros escondendo sob as estatuetas dos santos católicos os "assentamentos" dos deuses africanos, e "rezando", aparentemente com fervor, às personagens bíblicas impostas pela Igreja Católica.

Não custa lembrar que, em 1890, o Estado brasileiro cria, por meio do Código Penal, mecanismos reguladores das práticas de magia, curandeirismo e feitiçaria – o que levaria as forças policiais a invadir terreiros de candomblé, prender pais e mães de santo, destruir ou apreender assentamentos e objetos litúrgicos.

Só mais tarde, no Rio de Janeiro, na década de 1940, o ativista viria conviver com o famosíssimo babalorixá Joãozinho da Goméia, que liderava um terreiro de candomblé em Caxias. Algum tempo depois, Abdias viajaria à Bahia para ter com outra importantíssima sacerdotisa dos cultos afro-brasileiros: a ialorixá Mãe Senhora (1900-1967), do respeitado e famoso terreiro de candomblé Ilê Axé Opô Afonjá. Abdias tornara-se amigo de seu filho, Deoscóredes Maximiniano dos Santos, o Mestre Didi, artista plástico e detentor de um importante cargo litúrgico naquele terreiro.

O poder feminino nas comunidades-terreiros nagô era, sem dúvida, conhecido do intelectual negro paulista. Entretanto, ele não deixaria de se impressionar com a majestosa figura de Mãe Senhora, sentada numa poltrona num dos cômodos do Opô Afonjá. "Ela me indicou um assento próximo, colocou as mãos sobre a minha cabeça e respondeu à minha indagação:

'Sim, você tem compromisso com os orixás, mas sua tarefa não é dentro dos terreiros, é trabalhar para o santo lá fora'." Esse filho de Oxum, assim como Mãe Senhora, levaria à risca a orientação.

Pergunto a Abdias se, baseado na visão do candomblé, ele entende a vida e a morte como partes de um mesmo ciclo. "Acho importante especular", responde sereno. Mas mesmo assim passo a conduzir nossa conversa, daquele momento em diante, de forma ainda mais delicada, mais cautelosa. Ele não havia me convencido de que aquele era só mais um tema da nossa rica interlocução, que já se estendia por mais de dois meses. Ou talvez eu mesma tivesse dificuldades de falar da morte, de tocar na passagem do àiyé para o òrun[23].

De minha parte, entretanto, eu tinha uma certeza: eu ainda encontraria várias vezes com Abdias. E aproveitei o momento para fazê-lo recordar-se de nossa entrevista há *quatro* anos, ao fim da qual ele vaticinara: "Provavelmente esta será a última vez que falarei com a imprensa". Quatro anos depois, eu lhe devolvia – feliz da vida – a resposta daquela previsão "absolutamente equivocada". "Professor, eu agora já estou escolada, sabia? Quando o senhor fizer essas projeções, não vou dar a menor bola." Ele escutava atento, sem entretanto sorrir. "Eu saí daqui triste, *quatro* anos atrás, por conta de suas palavras. E cá estou eu de volta, convivendo com o senhor, assim tão lúcido,

---

23. "Os nagôs concebem que a existência transcorre em dois planos: o àiyé e o òrun. O àiyé, isto é, o mundo, e o òrun, isto é, o além. O àiyé compreende o universo físico concreto, e a vida de todos os seres naturais que o habitam, particularmente os ará-àiyé ou aráye, habitantes do mundo, a humanidade. O òrun é o espaço sobrenatural, o outro mundo" (Santos, 1975, p. 52-3).

tão cativante como sempre! Desta vez não vou cair nessa história. Não vou mesmo!", eu disse com firmeza. Ele me olhou dentro dos olhos, como a buscar sinceridade no que eu dizia, ficou parado por alguns segundos e, depois de parecer convencido, pôs-se a rir junto comigo. "Queiram os orixás que você esteja certa!"

A conversa seguia, e o rumo passaria a ser dado pelo próprio Abdias, que nos manteve, entretanto, sintonizados nas coisas de ordem transcendente, como eu classificaria aquela fase da nossa entrevista. Ele comentava o que deixaria no àiyé quando partisse para o òrun. "Elisa está bem encaminhada, já pode andar sozinha. Tenho uma família bem estruturada. Eu não tenho tristeza, não. Também não levo mágoas. Deus, os orixás foram muito generosos comigo. Quanto ao òrun, eu penso que vou enfrentar alguma coisa do outro lado, e também encontrar os ancestrais. E mais: acho que vou sentir saudades. É natural, não é verdade?"

10. Homenagens a um "negro desaforado"

Sentada na sala de estar do amplo e arejado apartamento no bairro da Glória, no Rio de Janeiro, onde Abdias Nascimento mora com a esposa Elisa e o filho caçula Osiris – e onde eu fora recebida para aquela entrevista "histórica" –, eu lia e manuseava, ao lado do casal, uma série de convites que haviam recebido: prêmios nacionais e internacionais, comendas, títulos, condecorações, exposições de sua produção artística, mostras de caráter documental. Comemorações e homenagens em torno da excepcional história de vida daquele homem que, ao longo da existência, fora "tantas vezes escorraçado", como o ativista fazia questão de pontuar.

As mensagens destinadas a Abdias vinham de chefes de Estado, como o presidente Luiz Inácio Lula da Silva, de políticos, ministérios e embaixadas. Mas também de gente mais "simples", militantes, estudantes de todas as idades, gente ligada a instituições da sociedade civil organizada, a universidades. Estes também buscavam compartilhar um lugar nos afetos de Abdias, prestigiá-lo. Havia autoridades ligadas a órgãos internacionais, assim como ativistas e personalidades estrangeiras. Eram vários os seus admiradores. "As que mais me emocionam são aquelas que vêm da minha gente, dos meus irmãos, do movimento negro" – a confissão seria feita ao conversarmos sobre esse "mar de homenagens", como eu classificara esta etapa de sua vida, inaugurada, ao que me parece, quando Abdias completara 90 anos.

Ele me contaria quanto se emocionara, por exemplo, nos festejos organizados para seu aniversário em março de 2004. Destacou a homenagem recebida de mais de quatrocentos alunos do Curso de Vestibular para Negros e Carentes (Educafro), criado e coordenado pelo franciscano frei David, no Rio de Janeiro. Depois de realizarem uma passeata e um ato em defesa da política de cotas na universidade pública, os jovens chegaram ao salão paroquial da Igreja de Nossa Senhora do Rosário e São Benedito dos Homens Pretos, onde Abdias Nascimento participava de um culto ecumênico em sua homenagem.

O professor Abdias saiu à rua para ter com os estudantes, pois boa parte deles não conseguira entrar no salão, já muito cheio à chegada do grupo. E ali na rua realizou-se "um lindo e emocionante ato público", no dizer do ativista. Ao mesmo tempo festivo, reivindicativo, comemorativo, em exaltação à luta negra e àquele que é contemporaneamente um de seus maiores protagonistas.

Não que Abdias anteriormente não tivesse recebido outras tantas honrarias. Ao contrário: elas foram muitas.[24] Outra ceri-

---

24. Entre as várias homenagens com as quais o intelectual foi agraciado, destacamos: título de *Doutor Honoris Causa* pela Universidade do Estado do →

mônia, realizada à mesma época fora igualmente significativa. Promovida pela Unesco, a entrega a Abdias Nascimento do Prêmio Toussaint Louverture pelos Extraordinários Serviços Prestados à Luta contra a Discriminação Racial aconteceria na sede da Unesco em Paris, naquele mesmo ano de 2004. Na ocasião, Abdias fez uma denúncia explícita, declarando que os negros foram alijados, pelo governo de seu país, em tempos de ditadura militar, de participar de uma importante conferência internacional sobre as questões negras em âmbito mundial.

Atendendo ao pedido de Abdias e de Marietta Campos, a ausência de uma representação afro-brasileira fora "apontada", naquela ocasião, por Aimé Césaire, conforme relembrara o próprio homenageado brasileiro, no discurso por ele proferido quatro décadas depois, no evento da Unesco na capital francesa. Na tela de videoconferência, colocada no palco do teatro da sede da Unesco, Césaire - poeta, político e grande nome do pan-africanismo, que se encontrava, naquele momento, em Fort de France, na Martinica - enalteceria a importância

→ Rio de Janeiro (1991); patrono do Congresso Continental dos Povos Negros das Américas, realizado no Parlamento Latino-americano em São Paulo, em comemoração ao Tricentenário da Imortalidade de Zumbi dos Palmares, em 20 de novembro de 1995; Prêmio Unesco na categoria Direitos Humanos e Cultura de Paz (2001); Prêmio Mundial Herança Africana, do Centro Schomburg de Pesquisa da Cultura Negra (2001); Prêmio Comemorativo das Nações Unidas por Serviços Relevantes em Direitos Humanos (2003); reconhecimento do governo da República da África do Sul pelo trabalho em prol da campanha internacional pela democratização daquele país (2004); placa banhada em ouro, entregue pelo presidente Lula, em homenagem aos 90 anos "do maior expoente brasileiro na luta intransigente pelos direitos dos negros no combate à discriminação, ao preconceito e ao racismo", de acordo com os dizeres nela inscritos.

da cultura negra no Brasil. A cerimônia reafirmava o *status* de grande pensador e ativista, compartilhada, naquele momento, com Césaire. Eu observara, enquanto assistia às imagens daquela cerimônia promovida pela Unesco – e registrada em um vídeo do Ipeafro comemorativo aos 90 anos de Abdias –, a postura daquelas duas altivas personalidades pan-africanistas, cujas trajetórias se cruzaram, nos anos 1970, passando a comungar respeito e admiração mútuos, além do engajamento estratégico, intenso e combativo nas mesmas lutas políticas. Algo mais me chamava a atenção naquelas cenas, entretanto. Eram as primeiras imagens que a mim chegavam, após longos anos de jornalismo, de uma cerimônia enaltecedora do mérito de homens e mulheres negros, dos quais já escutara falar, com certeza, mas cuja dimensão da contribuição política e intelectual para a história mundial eu não havia até então alcançado, plenamente. Foram as conversas com aquele intelectual brasileiro que me revelaram o enorme esforço coletivo, por parte dos pan-africanistas espalhados por distintos países, para a produção de um pensamento político voltado para a afirmação de direitos dos africanos e seus milhões de descendentes espalhados por várias nações.

No que se refere à produção intelectual, Abdias dera um exemplo notável da contribuição dos negros à civilização humana, com seu esforço em torno das teorizações sobre o quilombismo, proposta de organização sociopolítica que recupera as experiências históricas das comunidades quilombolas no Brasil, na África e nas Américas. E propusera a construção de uma sociedade nacional quilombista: igualitária em todos os sentidos, em que haja cidadania plena e respeito às matrizes culturais dos grupos dominados (Nascimento, A., 2002).

Sueli Carneiro, doutora em Educação pela Universidade de São Paulo e uma das mais destacadas ativistas do movimento negro contemporâneo, bem como fundadora e diretora da organização não governamental Geledés, voltada para a luta em prol da afirmação da cidadania da mulher negra brasileira, observa:

> Aprendemos com ele tudo o que é essencial sobre a questão racial no Brasil: a identificar o genocídio do negro, as manhas dos poderes para impedir a escuta das vozes insurgentes; a nos ver como pertencentes a uma comunidade de destino, produtores e herdeiros de um patrimônio cultural construído nos embates da diáspora negra com a supremacia branca em toda parte. Qualquer tema que esteja na agenda nacional sobre a temática racial no presente já esteve em sua agenda política há décadas. Nada lhe escapou. (Semog e Nascimento, A., 2006, p. 93)

As palavras de Sueli Carneiro podem encontrar situações exemplares se confrontarmos o cenário político no qual Abdias já se destacava, nos anos 1950, com esses nossos tempos atuais, nos quais, talvez como em nenhum outro período da história do país, as ações, posições e conquistas políticas dos movimentos sociais negros reverberam em toda a sociedade brasileira.

Um dos maiores motivos está nas discussões resultantes da implantação da Lei n. 10.639/2003, que institui a obrigatoriedade do ensino de História e Cultura afro-brasileira no sistema educacional. Conquista bem menos polêmica se comparada com a verdadeira celeuma estabelecida em nível nacional, envolvendo diferentes atores sociais, sobre a legitimidade ou não da implantação das cotas raciais como medidas reparatórias destinadas aos afrodescendentes nas universidades brasileiras. Esse assunto "tomou de assalto" a esfera pública a partir dos desdobramentos, no Brasil, dos compromissos firmados pelos países representados na III Conferência Mundial contra o Racismo, a Discriminação, a Xenofobia e Formas Correlatas de Intolerância promovida pelas Organizações das Nações Unidas, em setembro de 2001, em Durban, na África do Sul. Produziu-se um confronto explícito em torno de pontos de vista díspares sobre o dado racial como componente (inevitável, incontornável, insofismável, na perspectiva da militância negra) para discutir as questões que envolvem exclusão, disparidades de renda, de nível de escolaridade, de oportunidades de ascensão e de melhor categorização social, entre brasileiros negros e não negros. Comprovadas e ostensivamente percebidas no cotidiano da sociedade do país.

Para esse debate, os militantes negros muito se têm valido, é verdade, dos diversos levantamentos estatísticos feitos por instituições de pesquisa que denunciam as históricas e afrontosas desigualdades sociorraciais que vigoram em solo brasileiro. Mas se nutrem, também, dos argumentos de peso e da experiência política de Abdias. "Não gosto de ficar falando desse assunto, mas muito antes de eu ir para os Estados Unidos eu advogava coisas que coincidem perfeitamente com isso", Abdias pontua, referindo-se à proposição de medidas reparatórias para os negros. "No primeiro Congresso do Negro Brasileiro, em 1950, há um manifesto no qual eu advogo vaga para os negros nos cursos superiores, sustentados pelos poderes públicos, o que é uma forma de reparação – cursos gratuitos para os negros pagos pelo Estado, já que o negro foi despojado de tudo e, por isso, tem mais do que o direito de ser sustentado pelo Estado. Isso é da mais comezinha, da mais elementar justiça, ele ter tudo gratuito para a sua formação. As cotas também são uma questão de justiça. Não tem nenhum favorecimento, não tem nada de se estar tirando o lugar de ninguém. Ele [o negro], pela posição de construtor do país, devia estar lá [na universidade] há muito mais tempo. O negro devia estar lá em bloco. Se somos majoritários na composição do povo brasileiro, por que não podemos ser majoritários na composição da comunidade estudantil nas universidades? No entanto, não temos na universidade, em pleno século XXI, nem 2% de negros. É uma exclusão total! Nós estamos sendo até muito modestos quando pedimos 20%, 30%."

Conclusão – O *Angelus Novus*

Não sei bem por que razões exatamente, mas recordo-me de que num dos últimos encontros com Abdias, antes de começar a escrever este livro, um ensaio do filósofo alemão Walter Benjamin intitulado "Sobre o conceito de história" me vinha insistentemente à cabeça. Não só o texto, mas a alusão feita nele a um quadro do pintor Paul Klee, de 1932, denominado *Angelus Novus*. O filósofo alemão dizia naquele ensaio ver semelhança entre a imagem criada por Klee e o Anjo da História:

> Seus olhos estão escancarados, sua boca dilatada, suas asas abertas. O Anjo da História deve ter esse aspecto. Seu rosto está dirigido para o passado. Onde nós vemos uma cadeia de acontecimentos, ele vê uma catástrofe única, que acumula incansavelmente ruína sobre ruína e as dispersa a nossos pés. Ele gostaria de deter-se para acordar os mortos e juntar os fragmentos. Mas uma tempestade sopra do paraíso e prende-se em suas asas com tanta força que ele não

> pode mais fechá-las. Essa tempestade o impele irresistivelmente para o futuro, ao qual ele vira as costas, enquanto o amontoado de ruínas cresce até o céu. Essa tempestade é o que chamamos progresso. (Benjamim, 1987, p. 226)

De fato, são enormes os avanços dos quais uma parte da humanidade pode usufruir, levada aparentemente sem freios, sem controle, seduzida, na direção do futuro. Mas também são tantos – e tão assustadores – as crises, os déficits, as catástrofes humanas no mundo em que vivemos que, hoje, não apenas o Anjo da História está consciente dos absurdos produzidos em nome de uma concepção específica de progresso. Os humanos na pós-modernidade já se deram conta dela, e muitos a vêm criticando e combatendo duramente.

Porém, até aquele momento, nada me fazia estabelecer um nexo claro que ligasse as digressões de Walter Benjamin à figura de Abdias Nascimento. O que nosso personagem teria que ver com o *Angelus Novus* de Klee, com o Anjo da História de Benjamim? Logo Abdias, ferrenho combatente da supremacia branca, implacável defensor dos valores civilizatórios que emanam da mãe África, questionador dos efeitos da imposição de valores e posturas eurocêntricos. E das posições deles oriundas, marcadamente intolerantes com a diferença. Uma cultura à qual os eruditos pensadores alemães – e, no caso de Benjamin, um integrante da célebre Escola de Frankfurt – estavam diretamente ligados!

Quanto mais eu me detinha nessa história, mais aquela obsessão com o *Angelus Novus* "sobrevoando" a biografia de Abdias me parecia estranhíssima. Para piorar a situação, me dei conta, naquele dia, de que Abdias aparecera na sala apoiado na "Princesa da Tanzânia". Era assim que eu chamava uma linda bengala, ou melhor, um lindo cajado com a imagem de uma princesa esculpida em madeira, que ele trouxera em 1974 daquele país africano.

Não sei bem em que momento exatamente, mas sei que quando pairava no ar aquela atmosfera "transcendente" começou a fazer sentido para mim a interposição das figuras de Abdias e do Anjo da História. Ou de Abdias e do *Angelus Novus*. Aquele homem à minha frente me levara a compreender a diversidade cultural, a importância das várias perspectivas e crenças com as quais os homens observam, atuam e edificam a existência. A compreender a contribuição dos "diferentes" para o avanço da humanidade, da civilização planetária.

O que eu aprendera exatamente com Abdias que o estarrecido Anjo da História de Benjamim e Klee não me ensinara? No lugar de olhar perplexo para os sinais de devastação, sobre os quais o "progresso", em sua marcha acelerada e voluptuosa, soterra parcelas da humanidade, aquele impávido guerreiro negro passara a vida firmemente apoiado numa crença poderosa: a de que é possível mudar a história, denunciar os desvios pelos quais ela aniquila ou coloca em risco parcelas enormes de seres humanos. De que é possível, ainda, erguer corajosamente dos escombros um povo inteiro, apontando-lhe caminhos para a afirmação de sua identidade, para a valorização de sua existência, recolocando-o no lugar de importância que lhe é negado. Convencê-lo também da força dos homens comuns. Ou melhor, de todo e qualquer homem, assim como dos grandes líderes predestinados, como parece ser o caso de Abdias

– não exatamente pelo amedrontado Anjo da História, mas pelos aguerridos deuses e deusas negros nascidos fora da cultura do Ocidente, que ele invoca nos muitos momentos de sua luta política, rogando-lhes ajuda para erguer cotidianamente dos escombros aquele "povo gigante" – capaz de, a despeito de tantas injustiças e sofrimentos, imprimir vigor, esperança, luta e alegria à sua existência na diáspora.

Bibliografia

Livros, artigos e teses

BASBAUN, Leôncio. *História sincera da República.* v. 3. São Paulo: Fulgor, 1968.

BENJAMIM, Walter. "Sobre o conceito de história". In: *Obras escolhidas. Vol. 1. Magia e técnica, arte e política. Ensaios sobre literatura e história da cultura.* São Paulo: Brasiliense, 1987, p. 222-32.

BERND, Zilá. *A questão da negritude.* São Paulo: Brasiliense, 1984.

CARRANÇA, Flávio (org.). *Hamilton Cardoso: jornalista, militante, intelectual.* São Paulo: Instituto do Negro Padre Batista, 2008.

CAVALCANTI, Pedro Celso Uchoa; RAMOS, Jovelino (orgs.). *Memórias do exílio.* Lisboa: Arcádia, 1976.

CUTI (Luis Silva). *...E disse o velho militante José Correia Leite.* 19. ed. rev. São Paulo: Noovha América, 2007.

DAVIDSON, Basil. *L'Afrique au XXe siècle.* Paris: Editions J. A., 1978.

DECRAENE, Philippe. *El panafricanismo.* Buenos Aires: Eudeba, 1962.

DOMINGUES, Petrônio. *A nova Abolição.* São Paulo: Selo Negro, 2008.

EVARISTO, Conceição. Poemas da recordação e outros movimentos. Belo Horizonte: Nandyala, 2009.

GOMES, Flávio. *Negros e política – 1888/1937*. Rio de Janeiro: Zahar, 2005.

JAMES, C. L. R. *Les jacobins noir*. Paris: Editions Caribéennes, 1983.

JESUS, Maria Ângela de. *Ruth de Souza: a estrela negra*. São Paulo: Imprensa Oficial do Estado de São Paulo, 2007.

MENDES, Miriam Garcia. *O negro e o teatro brasileiro (entre 1889 e 1982)*. São Paulo: Huicitec; Rio de Janeiro: Instituto Brasileiro de Arte e Cultura/Fundação Cultural Palmares, 1993.

MOORE, Carlos. "Prefácio". In: NASCIMENTO, Abdias. *O Brasil na mira do pan-africanismo*. Salvador: Ceao/Edufba, 2002, p. 17-32.

NASCIMENTO, Abdias. *Teatro Experimental do Negro: testemunhos*. Rio de Janeiro: GRD, 1966.

_____. *O negro revoltado*. Rio de Janeiro: GRD, 1968a.

_____. "Teatro Negro do Brasil: uma experiência sociorracial". *Caderno Especial*, n. 2, Rio de Janeiro, jul. 1968b.

_____. *O quilombismo – Documentos de uma militância pan-africanista*. Petrópolis: Vozes, 1980.

_____. *O negro revoltado*. 2. ed. Rio de Janeiro: Nova Fronteira, 1982.

_____. "Teatro Experimental do Negro – Trajetória e reflexões". In: SANTOS, Joel Rufino dos (org.). *Revista do Patrimônio Histórico e Artístico Nacional*, n. 25, 1997, p. 70-81.

_____. *O Brasil na mira do pan-africanismo*. Salvador: Ceao/Edufba, 2002.

NASCIMENTO, Abdias; NASCIMENTO, Elisa Larkin (orgs.). *Quilombo: vida, problemas e aspirações do negro!* Edição fac-similar do jornal dirigido por Abdias Nascimento; apresentação de Abdias Nascimento e Elisa Larkin Nascimento; introdução de Antonio Sérgio Alfredo Guimarães. São Paulo: Fundação de Apoio à Universidade de São Paulo; Editora 34, 2003.

NASCIMENTO, Elisa Larkin. *Pan-africanismo na América do Sul*. Petrópolis/Rio de Janeiro: Vozes/Ipeafro, 1981.

______. *O sortilégio da cor – Identidade, raça e gênero no Brasil.* São Paulo: Selo Negro, 2003.

NEVES, Lúcia Maria Bastos Pereira; MACHADO, Humberto Fernandes. *O Império do Brasil.* Rio de Janeiro: Nova Fronteira, 1999.

NOVAES, Adauto (org.). *O silêncio dos intelectuais.* São Paulo: Companhia das Letras, 2006.

OLIVEIRA, Eduardo (org.). *Quem é quem na negritude brasileira.* v. 1. São Paulo: Congresso Nacional Afro-Brasileiro; Brasília: Secretaria Nacional de Direitos Humanos do Ministério da Justiça, 1998.

PADMORE, George. *Panafricanisme ou comunisme?* Paris: Editions Présence Africaine,1960.

SANTOS, Joel Rufino dos (org.). *Revista do Patrimônio Histórico e Artístico Nacional,* n. 25, 1997.

SANTOS, Juana Elbein. *Os nagô e a morte.* Petrópolis: Vozes, 1975.

SEMOG, Éle; NASCIMENTO, Abdias. *O griot e as muralhas.* Rio de Janeiro: Pallas, 2006.

SOUSA, Marconi Fernandes de. *As relações raciais na Câmara dos Deputados: análise de discursos parlamentares nas décadas de 60, 70 e 80.* Monografia - bacharelado em Ciência Política - Universidade de Brasília, DF, 2005.

VALLADARES, Lícia do Prado. *A invenção da favela: do mito de origem à favela.com.* Rio de Janeiro: FGV, 2005.

Entrevistas

Depoimento de Abdias Nascimento colhido por Sandra Almada, em outubro de 2005, para a edição de novembro de 2005 da revista *Raça Brasil.*

Depoimento de Abdias Nascimento colhido por Sandra Almada, nos meses de janeiro e fevereiro de 2009, especificamente para esta obra.

Depoimento de Abdias Nascimento colhido por Vera Lúcia Benedito em 3 de janeiro de 1998.

Depoimento do *rapper* MV Bill concedido à imprensa em 25 de dezembro de 2005, na praça do Coroado, na favela da Cidade de Deus, Rio de Janeiro.

Depoimento do *rapper* MV Bill concedido à autora, em janeiro de 2001, na praça do Coroado, na favela da Cidade de Deus, Rio de Janeiro.

Periódicos

Revista do Patrimônio Histórico e Artístico Nacional n. 25, 1997.

Revista *História Viva*. São Paulo, Dueto Editorial, ano 6, n. 66.

Revista *Pode Crê!* Programa de Direitos Humanos/SOS Racismo/Projeto *Rappers* do Geledés – Instituto da Mulher Negra, ano II, n. 4, 1994.

Audiovisual

Documentário "Abdias Nascimento – Memória negra". Direção e roteiro Antonio Olavo. Realização: Portifolium Laboratório de Imagens, Universidade do Estado da Bahia e Ipeafro.

DVD "Abdias Nascimento – 90 anos – Memória viva: um afro-brasileiro no mundo", concebido como parte da exposição homônima, realizada entre 15 de novembro de 2004 e 1º de maio de 2005 pelo Ipeafro, com o apoio da PUC- Rio e do Arquivo Nacional.

Sites

www.abdias.com.br

www.ipeafro.org.br

Obras selecionadas de Abdias Nascimento

Livros

Quilombo: Edição em fac-símile do jornal dirigido por Abdias Nascimento. São Paulo: Editora 34, 2003.

O quilombismo. 2. ed. Brasília: Fundação Cultural Palmares; Rio de Janeiro: OR Produtor Editor, 2002.

O Brasil na mira do pan-africanismo. Salvador: Ceao/Edufba, 2002.

Orixás: os deuses vivos da África/Orishas: the living gods of Africa in Brazil. Rio de Janeiro: Ipeafro; Filadélfia: Temple University Press, 1995.

A luta afro-brasileira no Senado. Brasília: Senado Federal, 1991.

Nova etapa de uma antiga luta. Rio de Janeiro: Sedepron, 1991.

Brazil: mixture or massacre. Trad. Elisa Larkin Nascimento. Dover: The Majority Press, 1989.

Combate ao racismo. 6 v. Brasília: Câmara dos Deputados, 1983-1986. (Discursos e projetos de lei)

Povo negro: a sucessão e a "Nova República". Rio de Janeiro: Ipeafro, 1985.

Jornada negro-libertária. Rio de Janeiro: Ipeafro, 1984.

Axés do sangue e da esperança: Orikis. Rio de Janeiro: Achiamé e RioArte, 1983. (Poesia)

Sitiado em Lagos. Rio de Janeiro: Nova Fronteira, 1981.

O quilombismo. Petrópolis: Vozes, 1980.

Sortilégio II: mistério negro de Zumbi redivivo. Rio de Janeiro: Paz e Terra, 1979. (Peça de teatro)

Mixture or massacre. Trad. Elisa Larkin Nascimento. Buffalo: Afrodiaspora, 1979.

Sortilege: black mystery. Trad. Peter Lownds. Chicago: Third World Press, 1978.

O genocídio do negro brasileiro. Rio de Janeiro: Paz e Terra, 1978.

"Racial democracy" in Brazil: myth or reality. 2. ed. Trad. Elisa Larkin Nascimento. Ibadan: Sketch Publishers, 1977.

"Racial democracy" in Brazil: myth or reality. 1. ed. Trad. Elisa Larkin Nascimento. Ile-Ife: University of Ife, 1976.

Sortilégio (mistério negro). Rio de Janeiro: Teatro Experimental do Negro, 1959. (Peça de teatro)

Livros em coautoria

O griot e as muralhas, com Éle Semog. Rio de Janeiro: Pallas, 2006.

A abolição em questão, com José Genoíno e Ari Kffuri. Sessão Comemorativa do 96º Aniversário da Lei Áurea (9 de maio de 1984). Brasília: Câmara dos Deputados, 1984.

Africans in Brazil: a pan-African perspective, com Elisa Larkin Nascimento. Trenton: Africa World Press, 1991.

Organização de antologias, revistas e obras coletivas

Thoth: Pensamento dos Povos Africanos e Afrodescendentes, n. 1-6. Brasília: Senado Federal, 1997-98.

Afrodiáspora: Revista do Mundo Africano, n. 1-7. Rio de Janeiro: Ipeafro, 1983-86.

O negro revoltado. 2. ed. Rio de Janeiro: Nova Fronteira, 1982.

Journal of Black Studies, ano 11, n. 2, dez. 1980. (Número especial sobre o Brasil)

Memórias do exílio, em colaboração com Paulo Freire e Nelson Werneck Sodré. Lisboa: Arcádia, 1976.

Oitenta anos de abolição. Rio de Janeiro: Cadernos Brasileiros, 1968.

Teatro Experimental do Negro: testemunhos. Rio de Janeiro: GRD, 1966.

Dramas para negros e prólogo para brancos. Rio de Janeiro: TEN, 1961.

Relações de raça no Brasil. Rio de Janeiro: Quilombo, 1950.

Participação em antologias e obras coletivas

"O negro e o parlamento brasileiro", coautoria com Elisa Larkin Nascimento. In: MUNANGA, Kabengele (org.). *O negro na história do Brasil*. Brasília: UnB/Fundação Cultural Palmares, 2004, p. 105-51.

"Comentário ao Artigo 4º". In: *Direitos humanos: conquistas e desafios*. Brasília: Conselho Federal da Ordem dos Advogados do Brasil/Comissão Nacional de Direitos Humanos, 1998.

"Quilombismo: the African-Brazilian road to socialism". In: ASANTE, Molefi K.; ABARRY, Abu S. (orgs.). *African intellectual heritage: a book of sources*. Filadélfia: Temple University Press, 1996.

"Sortilege: black mystery". *Callaloo, a Journal of African-American and African Arts and Letters*, v. 18, n. 4, 1995 – Special Issue, African-Brazilian Literature, Johns Hopkins University.

"Sortilege II: Zumbi returns" (peça dramática). In: BRANCH, William B. (org.). *Crosswinds: an anthology of African diaspora drama*. Bloomington: Indiana University Press, 1991.

"Quilombismo: the African-Brazilian road to socialism". In: ASANTE, Molefi K.; ASANTE, Kariamu, W. (orgs.). *African culture: the rhythms of unity*. Trenton: Africa World Press, 1990. (Primeira edição publicada em 1987 pela Greenwood Press.)

"African presence in Brazilian art". *Journal of African Civilizations*, v. 3, n. 2, nov. 1981.

"Reflections of an Afro-Brazilian". *Journal of Negro History*, v. LXIV, n. 3, verão 1979.

"Teatro negro del Brasil: una experiencia socio-racial". In: LUZURIAGA, Gerardo (org.). *Popular theater for social change in Latin America, a bilingual anthology*. Los Angeles: UCLA Latin American Studies Center, 1978.

"Afro-Brazilian theater, a conspicuous absence". *Afriscope*, v. VII, n. 1, jan. 1977.

"Afro-Brazilian art: a liberating spirit". *Black Art: an International Quarterly*, v. I, n. 1, outono 1976.

"Open letter to the First World Festival of Negro Arts". *Présence Africaine*, v. XXX, n. 58, verão 1968.

"Carta aberta ao Festival Mundial das Artes Negras". *Tempo Brasileiro*, ano IV, n. 9/10, abr.-jun. 1966.

"The negro theater in Brazil". *African Forum*, v. II, n. 4, primavera 1967.

"Mission of the Brazilian Negro Experimental Theater". *The Crisis*, v. 56, n. 9, out. 1949.

APÊNDICES

I.

Depois de muito tempo, finalmente na revista *Raça*

"O caminho está sendo construído. Quando os racistas abrirem os olhos, nós já teremos virado isso aqui. É a História! Não há como detê-la", disse-me sorrindo o professor Abdias Nascimento, ao final de uma longa entrevista concedida em outubro de 2005 à revista *Raça Brasil*.

Aquela matéria há muito tempo vinha sendo esperada – basicamente desde 1996, quando a primeira publicação do país a ter como público-alvo "a família negra brasileira" chegava às bancas, vendo se esgotar num único dia seus cerca de 250 mil exemplares.

Rezava a lenda que Abdias Nascimento era um nome visto com certa "resistência" por membros da direção da *Raça*. Nunca tinha, entretanto, me interessado em confirmar se ocorria de fato um veto implacável àquele "negro revoltado", cujas ideias tanto mobilizaram pessoas Brasil e mundo afora.

Apuro estético, imagens sedutoras, irresistíveis inserções publicitárias, páginas e mais páginas destinadas à exposição da vida mitificada e glamourosa das celebridades, as negras inclusive, nas quais os comuns mortais parecem querer projetar-se, sublimando um cotidiano marcado pela "normalidade". Seria essa evasão absolutamente incompatível com o verbo, a verve, a língua "destravada" e acusativa de Abdias? Eu me fazia essa pergunta toda vez que a sugestão de matéria com o ativista negro era rejeitada. Ou que a pauta de Abdias caía, ou que nem chegava a ser considerada.

Eu não acreditava naquela incompatibilidade – se assim podemos chamar a tal resistência ao nome de Abdias. Até porque a publicação, numa oportuna observação feita por um de seus diretores, havia se constituído, ao longo de sua história, num "verdadeiro laboratório editorial", apostando em linhas editoriais mais ou menos politizadas.

Na verdade, aquela resistência – verdadeira ou não – não me causava surpresa. Quem acompanhava a luta política daquele intelectual negro sabia perfeitamente que a "exclusão" – ou, no mínimo, o mal-estar – era comum na vida de Abdias. "Fui muitas vezes escorraçado!", repetiria, sempre enfático, durante vários dos nossos encontros. Sabia também que ele havia colhido durante essa trajetória muitas desilusões e decepções, algumas dolorosas.

Mas voltando a 2005, depois de inúmeras tentativas, me foi possível realizar a entrevista com Abdias. "Professor, sua personalidade está ligada a certo radicalismo que talvez sugira uma ideia de confronto. O senhor concorda?", perguntei-lhe. "Pode ser", ele respondeu serenamente, para minha surpresa. "Mas acontece que é uma interpretação equivocada. Porque se pode chegar a essa conclusão tendo em vista a novidade de que eu sempre falei as coisas pelos nomes, francamente, tanto pública quanto particularmente. E sempre fui consistente, sempre fui fiel ao resultado da minha própria vivência. Eu vivi essas situações racistas, em todos os graus imagináveis e inimagináveis. Então, eu não tenho por que negar essas coisas. Pelo contrário, eu as afirmo com muito orgulho, pois é a minha vida, a minha biografia. E eu quero ter uma biografia de dignidade, de verdade. Essa é a minha estrada." Abdias continuou: "Mas é certo dizer também que sempre fui um negro desaforado", admitiu, provocando risos coletivos.

Ao longo da entrevista, eu perceberia que Abdias se regozijava com a constatação de que o clã dos "negros desaforados" crescera sobremaneira. Para sua felicidade! "O negro (hoje) não é mais o mesmo. Porque ele era muito cabisbaixo, muito obediente, muito tranquilo demais. Agora não. Ele já grita, levanta o punho, está destravando a língua, e isso por todo o lado. Ou seja, por todo lado se vê negro desaforado."

"Há muitos negros revoltados também, professor?", perguntei-lhe, querendo saber como via o fato de uma de suas obras ter influenciado a formação política de um dos maiores ativistas afro-brasileiros da contemporaneidade: o *rapper* MV Bill. "Fico honrado! Fico feliz! E já tomei conhecimento de ter ocorrido o mesmo com outros muitos jovens, muitas outras pessoas de várias partes do Brasil."

Abdias continuou a conversa com uma assertividade e vigor tamanhos que foi impossível não ver tais traços repercutir na apresentação da matéria. Na capa da revista, os editores deram a seguinte chamada: "Abdias avisa: vamos virar o jogo!" No subtítulo, lia-se: "Um dos maiores líderes negros da história do país, Abdias Nascimento afirma que ainda falta muito para a igualdade racial, mas reconhece que houve grandes conquistas e prevê um surpreendente avanço nos próximos anos".

Na abertura da entrevista, apresentávamos formalmente ao público da revista *Raça* aquele senhor carismático – cuja imagem transmitia simpatia e confiança, ainda mais pelas roupas elegantes que vestia.

Entretanto, eu tinha a dimensão exata do peso político daquele personagem. A apresentação da matéria do ponto de vista estético-visual serviria apenas como um belo e merecido enquadramento para aquilo que de fato interessava no caso de Abdias: suas ideias. Para muitos, ideias "temidas", "inconvenientes" e "radicais". Para outros, "positivamente revolucionárias", "libertárias" e "direcionadoras".

II.

MV Bill e Abdias Nascimento

No dia 25 de dezembro de 2000, participei de uma entrevista coletiva concedida pelo *rapper* MV Bill, na praça do Coroado, na comunidade Cidade de Deus. A favela fica situada na zona Oeste da cidade do Rio de Janeiro e tornou-se muito conhecida depois do sucesso do filme homônimo do diretor Fernando Meirelles. Naquela ocasião, MV Bill encontrava-se envolvido, pela segunda vez, numa situação que lhe renderia diálogos ásperos – e problemas mais sérios – com a imprensa. Nesse caso específico, com a Justiça e com a polícia.

O primeiro dos embates havia se dado logo após sua apresentação ao lado do grupo norte-americano The Roots na edição de 1999 do Free Jazz Festival. Na ocasião, o *rapper* subira ao palco com uma arma na cintura. A utilização cênica da pistola Taurus fazia parte do protesto do artista contra o fato de um abaixo-assinado em favor do desarmamento percorrer setores da sociedade civil organizada sem que, contudo, seus organizadores tenham pensado em consultar os moradores das comunidades carentes. "Os mais atingidos pela violência – os pretos, pobres, favelados – não foram chamados a opinar", justificara MV Bill quando questionado sobre as razões da performance.

No caso de Bill, performances de alto impacto para falar dos riscos cotidianos que enfrentam os jovens habitantes dos guetos urbanos do país eram condizentes tanto com sua identidade de artista quanto com sua identidade política. O protesto no palco do Free Jazz revelava, também, de um fenômeno típico desses nossos tempos pós-modernos, nos quais os integrantes de grupos culturais de periferia se apropriam tanto dos recursos tecnológicos quanto da "gramática" dos meios de comunicação e passam a usá-los estrategicamente na luta por visibilidade e mobilização política.

Naqueles anos 1990, entretanto, a meia distância do mundo dos espetáculos culturais e das artes, a imprensa também acompanharia fatos de outra natureza, tendo como protagonistas personagens igualmente envolvidos com o drama social caracterizado pelas perdas humanas em meio à violência nas cidades brasileiras.

O genocídio de uma parcela da população jovem, negra, em situação de risco social, racialmente discriminada pela polícia, alvo preferencial dos grupos de extermínio e vítima em série do narcotráfico, ganhava lugar de destaque no debate social – intensificado àquela época não apenas pelas entrevistas e performances artísticas de MV Bill, mas também por uma ativa e indignada militância negra.

A cena política a que nos referimos contava com a atuação de Abdias Nascimento, o mais respeitado e conhecido líder dos movimentos sociais afro-brasileiros. Tratava-se de uma voz potente, de um militante respeitadíssimo há muito tempo engajado na luta contra o racismo e a discriminação racial.

Fosse pela conhecida contundência de Abdias Nascimento ou por qualquer outra voz militante, vinham ganhando força naqueles anos 1990, nos espaços de afirmação dos discursos sociais, as denúncias feitas por aqueles que se insurgiam contra os afrontosos índices de disparidade sociorraciais entre negros e não negros no Brasil.

O encontro de Bill com a imprensa renderia frutos, em muitos aspectos. A coletiva daria a oportunidade de "contar o outro lado dos fatos", a "outra versão da história". Era a chance de confrontar com seu relato, com sua imagem, que chegava à opinião pública associada a "uma possível ligação com traficantes e à apologia ao tráfico de drogas".

Já para muitos de nós, jornalistas, a coletiva renderia "munição" suficiente para alimentar matérias e muita polêmica. Tudo sustentado, evidentemente, pelo potencial de "noticiabilidade", digamos assim, que gerava a suspeição de que o *rapper* tinha ligação com o crime.

Eu só não podia imaginar que ia ser brindada por MV Bill com uma informação verdadeiramente preciosa: a trajetória do *rapper* estava irremediavelmente ligada à daquele considerado o maior dos ativistas negros brasileiros.

Ao se referir aos habitantes das favelas, inclusive aos narcotraficantes, Abdias diria: "São novos escravos da falta de trabalho, do desemprego". Em seu discurso de posse na Secretaria de Defesa e Promoção das Populações Negras do Rio de Janeiro, o militante prosseguiu: "Não basta simplesmente dizer à polícia que ela não vai mais matar negros. Sabemos que a discriminação é a maior fonte de desemprego. Quando você tira da pessoa humana os meios de ela se alimentar, se educar, de cuidar da sua saúde, morar, se vestir, tudo isso é a face desse mesmo genocídio, que tem muitas faces e precisa ser enfrentado em todas as suas versões".

Quem foi à Cidade de Deus naquela noite para escutar o jovem Mensageiro da Verdade também pôde assistir sem cortes ao clipe procurado pela polícia – esse seria, supostamente, o segundo envolvimento de Bill com o crime.

A exibição do clipe serviu à mídia, com certeza. Mas foi também um presente de Natal do *rapper* e de seu empresário, o produtor cultural Celso Athayde, a uma massa de moradores pobres e com pouca oportunidade de lazer. Além do clipe, a população da Cidade de Deus pôde acompanhar a um show do *rapper*, que subiu ao palco improvisado na favela ao lado de alguns de seus ilustres convidados – entre eles Caetano Veloso, Djavan, Dudu Nobre e a banda Cidade Negra.

Enquanto, nessa época, Abdias Nascimento estava às voltas com a luta negra pelas vias do "oficialismo" brasileiro, a Polícia Federal havia realizado uma busca na gravadora Natasha Records (selo ao qual MV Bill estava então ligado). O objetivo era apreender o tal videoclipe produzido por MV Bill e Celso Athayde, cujo título era "Soldado do morro".

A obra audiovisual trazia imagens factuais de jovens envolvidos com o narcotráfico, em plena atividade nas bocas de fumo de diferentes favelas do Brasil, e imagens ficcionais, nas quais o *rapper* interpretava o papel de um jovem narcotraficante. Personagem que dava título à sua obra e, por meio da letra de *rap* cantada no clipe, denunciava as razões, os riscos e os dilemas inerentes àqueles que, assim como "ele", ingressavam na vida do crime.

"Vou continuar a fazer o meu trabalho, nem que isto custe a minha vida", diria MV Bill, aos jornalistas, depois de afirmar que estava sob suspeição somente porque era um artista de favela, preto e pobre. "Vera Fisher, para viver uma prostituta, pode fazer laboratório que ninguém vai confundi-la com sua personagem. Mas o Bill não pode interpretar um narcotraficante numa obra de arte por ser um artista de periferia, pois já associam a minha pessoa ao personagem, já me tomam como um bandido!", reclamava.

Em certo ponto da entrevista, perguntei ao *rapper* em que momento da vida ele ganhara consciência do racismo, da exclusão social e das injustiças que permeiam o cotidiano dos afro-brasileiros. Com um brilho nos olhos, Bill me respondeu: "Foi quando li, ainda na adolescência, o livro *O negro revoltado*, de Abdias Nascimento!"

Essa revelação me deixaria surpresa e comovida. Durante os anos em que eu vinha estudando – e acompanhando como jornalista – o desenrolar das lutas negras no Brasil, a atuação do movimento negro me parecera muito restrita. Porém, as palavras de MV Bill tornaram essa minha impressão no mínimo questionável.

Enquanto eu ouvia as declarações de MV Bill acerca da importância da obra de Abdias Nascimento na sua tomada de consciência sobre as questões raciais no Brasil, um estado de alegria me afagava a alma, um alívio tranquilizava a minha consciência. Decerto não vinha sendo em vão todo o esforço empreendido até ali por tantos homens e mulheres que acreditaram naquele modelo de militância. Não tinha sido inútil o esforço monumental de Abdias Nascimento – que, entre tantos feitos, havia chamado a atenção, por intermédio de uma abordagem sociológica precisa, para os dilemas do negro revoltado.

www.gruposummus.com.br